La collection « Ado »
est dirigée par Michel Lavoie

Nuits d'épouvante

ado

Nuits d'épouvante

Collectif de l'Association des écrivains
québécois pour la jeunesse
sous la direction de Marie-Andrée Clermont

Catalogage avant publication de Bibliothèque et Archives nationales du Québec et Bibliothèque et Archives Canada

Vedette principale au titre :

Nuits d'épouvante

(Ado ; 79)
Pour les jeunes de 12 ans et plus.

ISBN 978-2-89537-144-1

1. Histoires pour enfants québécoises. 2. Récits d'horreur québécois. I. Clermont, Marie-Andrée. II. Collectif de l'AEQJ. III. Collection: Roman ado ; 79.

PS8329.5.Q4N84 2008 jC843'.0873808096 C2007-942368-X
PS9329.5.Q4N84 2008

Nous remercions le Conseil des Arts du Canada de l'aide accordée à notre programme de publication. Nous reconnaissons l'aide financière du gouvernement du Canada par l'entremise du Programme d'Aide au Développement de l'Industrie de l'Édition (PADIÉ) pour nos activités d'édition. Nous remercions également la Société de développement des entreprises culturelles ainsi que la Ville de Gatineau de leur appui.

Dépôt légal - Bibliothèque et Archives nationales du Québec, 2008
Bibliothèque et Archives Canada, 2008

Révision : Michel Santerre
Correction d'épreuves : Renée Labat

Éditions Vents d'Ouest
185, rue Eddy
Gatineau (Québec) J8X 2X2
Courriel : info@ventsdouest.ca
Site Internet : www.ventsdouest.ca

Diffusion Canada : PROLOGUE INC.
Téléphone : (450) 434-0306
Télécopieur : (450) 434-2627

Diffusion en France : Distribution du Nouveau Monde (DNM)
Téléphone : 01 43 54 49 02
Télécopieur : 01 43 54 39 15

Avant-propos

CHERS LECTEURS et chères lectrices,
C'est fou ce que l'épouvante peut inspirer de bonnes histoires ! À croire que les frissons glaciaux font partie des besoins fondamentaux de l'être humain ! Comment expliquer, sinon, cette fournée particulièrement riche de récits luuguuubres, soordiides, et impressionnants ?

Vous aurez du mal à dormir après avoir rencontré les personnages de ce recueil, plus inquiétants les uns que les autres. Leurs tribulations et leurs mésaventures vous feront vivre des émotions si fortes qu'il vous faudra reprendre votre souffle après chaque nouvelle pour être en mesure d'absorber la suivante.

L'Association des écrivains québécois pour la jeunesse (AEQJ) a donc décidé, cette année, de partir à la découverte de l'horreur sous toutes ses formes, et les douze auteurs participants vous invitent à faire partie du voyage. Tremblements garantis !

Marie-Andrée Clermont

Note : Les auteurs renoncent à percevoir les droits qui découlent de la vente de ce livre, lesquels serviront à financer le Prix Cécile Gagnon, offert annuellement à un écrivain de la relève, l'encouragement de la relève étant une préoccupation majeure de l'AEQJ.

Les Maraudeurs de l'étrange

par

Anne Jutras

À l'hiver 2001, je gagne le premier prix du concours littéraire de la revue Lurelu. *Cette distinction m'encourage à concrétiser mon rêve d'enfance : devenir écrivaine. Depuis, j'ai publié deux romans aux Éditions Vents d'Ouest, dont* L'Ombre de l'oubli. *J'aime créer des univers imaginaires où l'insolite côtoie le fantastique. Parfois, l'horreur s'infiltre dans mes histoires.*

Approchez, nous allons frémir ensemble. Ne sentez-vous pas cette présence immatérielle se glisser juste derrière vous ? À peine audible, telle une ombre errante dans la nuit, elle s'allonge, se penche sournoisement au-dessus de votre épaule et épie vos moindres gestes. Ressentez-vous ce regard posé sur votre nuque ? Cette main décharnée qui se tend…

Selon notre philosophie, chaque participant, artisan de sa vie, reste libre d'entreprendre l'aventure qui lui convient. Si le hasard fait en sorte que sa destinée s'accomplit dans cet univers parallèle, qu'elle soit tragique ou glorieuse, personne ne s'y oppose. Un retour avorté ne signifie qu'une chose : le Maraudeur a scellé son karma dans cette contrée étrangère.

Bilal, membre de la Guilde des Maraudeurs

LE PORTAIL se dressait vers le ciel nocturne, imposant et mystérieux. Nul ne franchissait la Porte sans éprouver au premier abord, un léger vertige. Un curieux mélange d'excitation et d'appréhension. De l'autre côté, un territoire inconnu attendait les voyageurs : le pays de Darke.

Un monde parallèle. Vaste et sauvage. Propice aux découvertes.

Réalité ? Fabulation ?

Il fallait traverser la Porte pour se forger sa propre idée. Cependant, pour franchir le seuil, on devait appartenir à la guilde. La Guilde des Maraudeurs de l'étrange. Ce club proposait, l'espace d'un week-end, des escapades inusitées à ceux et celles qui étaient en quête de sensations fortes. Personne n'en revenait sans être follement exalté.

Lorsque le Maraudeur revenait...

Tristan frissonna dans la nuit. Un rayon de lune se fraya un passage à travers le feuillage clairsemé d'un vieux saule, diffusant une lueur fantomatique. Enchâssée entre deux piliers massifs surmontés de goules repoussantes, la Porte éveillait, en celui qui la contemplait, un vague sentiment de malaise. Considérant le bois sombre, sculpté de visages défigurés et hagards, le jeune homme hésitait à saisir la poignée antique. Geste effectué par sa compagne, Océane, sept jours auparavant.

Geste clandestin. Secret. Qui avait bouleversé son existence.

Océane avait franchi la Porte et n'était pas revenue...

Que s'était-il passé ? Qu'est-ce qui avait mal tourné ? La retenait-on prisonnière ?

Seules quelques confidences, cueillies dans son carnet de notes, lui avaient révélé la complexité de la situation. Les informations glanées au fil des pages l'avaient guidé jusqu'à cette folle nuit. À aucun moment, Tristan n'aurait cru possible de traverser une simple porte afin de fuir complètement le monde réel pour un autre. Un univers où...

Une main s'abattit sur l'épaule du jeune homme, l'extirpant de ses pensées.

– Rappelle-toi, tu ne peux réintégrer notre monde sans la carte de passage. Ses ondes vibratoires déverrouillent l'accès à la Porte et te permettent de circuler d'un lieu à l'autre.

Bilal, l'un des rares Maraudeurs en qui Tristan avait confiance, lui tendit un objet carré muni d'une chaînette. Sa carte de passage. Ornée de filigranes d'argent, une gravure apparaissait sur la plaquette. Presque monochrome, tout en teintes de gris, l'image représentait un couple enlacé, les paupières closes, le teint cadavérique. Enveloppés dans un voile de broussailles et de plumes, les amoureux semblaient dormir d'un sommeil éternel, bercés par un amour naissant. Étrangement, cette illustration évoquait ce qu'il ressentait pour Océane.

Le cœur de Tristan s'accéléra, comme chaque fois qu'il pensait à sa compagne. D'autant plus que son absence l'emplissait d'une inquiétude qu'il n'arrivait pas à calmer. Certes, la jeune fille possédait un tempérament audacieux, mais elle n'était pas du genre à se dérober sur un coup de tête. Sa vivacité d'esprit et l'acuité de son jugement l'avaient séduit dès le premier jour de leur rencontre.

Son intuition lui murmurait que quelque chose clochait.

La lune fit miroiter un éclat argenté sur le collier que Tristan passait à son cou. Il le dissimula soigneusement sous son vêtement.

– Tu disposes de trois jours pour retrouver Océane, lui précisa Bilal. Au-delà de ce délai, la carte n'émettra plus les signaux permettant d'activer le portail. Garde-la sur toi et ne t'en défais sous aucun prétexte. Si tu t'égares en cours de route, tu n'auras qu'à consulter la carte géographique.

L'homme s'interrompit et lui remit un rouleau de parchemin sur lequel figuraient le trajet à parcourir ainsi que les Portes réservées aux Maraudeurs. Trois X marquaient leurs emplacements. Tristan rangea ses précieuses références dans sa besace en cuir.

Sous la clarté lunaire, Bilal examina le jeune garçon d'un œil critique. Il hocha lentement la tête. Même si le novice n'avait pas la trempe d'un Maraudeur, il daigna admettre que sa détermination en faisait un candidat parfait qui ne reculerait pas devant l'adversité. Un sourire énigmatique étira ses lèvres.

Se sentant observé, Tristan songeait à l'étrangeté de son costume. Tel un moine, il avait enfilé une bure nouée par une cordelière rouge, couleur signifiant son appartenance à la confrérie des Mystiks. Pour ajouter à la crédibilité, il avait délibérément rasé son crâne.

Le Maraudeur lui serra la main et lui glissa à l'oreille :

– Sois extrêmement prudent, car au-delà de cette Porte, personne n'est à l'épreuve de la mort !

Bilal avait parlé avec la désinvolture d'un maître de jeu. Sur le coup, Tristan interpréta ses paroles comme une mauvaise plaisanterie. Scrutant le visage de son interlocuteur, il n'y discerna aucune lueur narquoise. Ce qu'il perçut le fit frémir. Une flamme intense, presque inquiétante, brillait au fond de ses prunelles.

– Merci du conseil, répondit-il en tentant de montrer une certaine assurance malgré la nervosité qui le tenaillait. Je tâcherai de m'en souvenir.

Jugeant avoir terminé son intervention, Bilal tourna les talons et laissa l'apprenti Maraudeur seul dans la nuit.

Tristan s'avança vers la Porte, non sans éprouver une sensation désagréable. Son estomac se nouait. Avec circonspection, il étendit le bras et posa la main sur la poignée. Et il la retira sur-le-champ.

Bon sang ! Quelque chose remuait !

Tout proche !

Quelqu'un l'épiait-il ?

Plissant les yeux, il sonda les alentours et ne distingua rien d'alarmant. Était-ce le fruit de son imagination ? Son cœur se mit à battre la chamade. Il grimaça, horrifié à l'idée de toucher cette Porte sur laquelle on avait sculpté des visages ravagés. Il soupira. S'il craignait une banale poignée de porte, que ferait-il une fois de l'autre côté ?

Se raisonnant, il serra la poignée et la fit jouer. Les ténèbres semblèrent s'épaissir et, sur sa gauche, il entendit un craquement saccadé. Les poils de sa nuque se hérissèrent. Les visages balafrés de la Porte se contorsionnaient pour le dévisager. Des orbites béantes, aussi noires que des flaques visqueuses, se braquèrent sur lui. Les fissures qui leur tenaient lieu de bouche se lézardèrent dans un odieux grincement de bois sec. Tristan écarquilla les yeux.

La Porte était vivante !

VIVANTE !

Une masse informe de bouches se contractaient et exhalaient une odeur fétide de cadavres putréfiés. Leur mouvement, autant que les relents nauséabonds, pétrifiait Tristan. Quel fanatique avait inventé ce mécanisme diabolique ? Cherchait-on à le déstabiliser ? Était-ce une épreuve ? Bilal lui avait expliqué que la Porte s'unissait au Maraudeur. Pourquoi avait-il la nette impression qu'elle s'opposait à lui ?

D'une sonorité sépulcrale, les bouches se mirent à expirer un long râlement :

– *N'y va pas... L'ombre de la mort pèse sur ton âme...*

Bonté divine, on essayait de l'effrayer ! Hors de question de battre en retraite ! Crispé, Tristan poussa le battant de toutes ses forces.

La Porte résista.

Lancinantes, tels des esprits tourmentés, les voix enchaînaient leur mélopée funeste :

– *Ne poursuis pas ta route... La mort rôde...*

Pourquoi cette satanée Porte ne s'ouvrait-elle pas ? Le jeune homme serra les dents, concentra ses pensées sur Océane et, d'un formidable coup d'épaule, percuta l'épais panneau. Trois fois.

La Porte céda !

Des lamentations de révolte retentirent à ses oreilles. Tristan espérait que les goules juchées sur les piliers maintiendraient leur immobilité placide. Soudain, un bruit écœurant d'os brisés s'éleva dans la nuit. Il recula, frappé de stupeur. Des excroissances osseuses jaillissaient de la Porte. Entre les faciès distordus, il voyait des chicots noirs s'extraire du bois, croître et s'agiter, pareils à des moignons de bras désarticulés. Il cligna des yeux. Pendant un moment, son cerveau refusa ce qu'il voyait.

C'était hallucinant !

Les protubérances osseuses se parèrent d'extrémités ressemblant vaguement à des doigts mutilés. Baladeuses, des dizaines, voire des centaines de mains se tortillaient pour le happer au passage. Reprenant ses esprits et luttant contre la panique, Tristan les repoussa, se débattit avec frénésie et parvint enfin à poser le pied sur le sol poussiéreux du passage. Une fois à l'intérieur, il s'empressa de refermer la Porte.

Le silence s'abattit sur lui. Ne s'autorisant aucune pause, il s'élança dans le couloir pavé de pierres… tombales. Des pierres tombales ? Des morts gisaient sous terre ! Bilal avait-il omis de lui parler de cette singularité ? Tristan ne s'en souvenait plus…

Un frisson glacé lui parcourut l'échine tandis qu'il progressait dans ce tunnel lugubre. Dans son esprit régnait en un chaos des pensées confuses. Une seule toutefois demeurait limpide : retrouver Océane. Tristan s'y raccrocha avec détermination jusqu'à ce qu'il aboutisse à l'autre extrémité du couloir. Une lumière diffuse émanait de l'ouverture.

L'embouchure s'ouvrit au-dessus de sa tête. L'air frais de la nuit le réconforta, apaisant son esprit en déroute. Ses pieds foulèrent une petite terrasse aménagée dans le roc. Il était juché sur une cime escarpée à partir de laquelle une volée de marches descendait vers la mer. La mer de Lotoss. Tristan voyait, pour la première fois, ce qu'Océane avait vu maintes fois. Sans lui... Les observations notées dans le carnet de son amie correspondaient exactement à ce qu'il percevait en contemplant l'empire marin.

Onde azurée aux mille reflets dorés, vaste et peuplée de créatures mystérieuses.

Tristan fixa l'horizon un instant. Fasciné. Deux grosses lunes ambre amorçaient leur ronde nocturne en émergeant des flots, noyant le paysage d'une couleur de miel. Indéniablement, il venait de pénétrer dans le fameux pays de Darke. Il exultait !

Mais son ivresse fut de courte durée. Conscient du danger, Tristan coula un regard suspicieux aux alentours. Des chasseurs d'esclaves se tenaient-ils embusqués dans les buissons, prêts à lui ravir sa liberté ? Prudent, il dévala les marches, attentif au moindre bruit suspect et au froissement des feuilles.

Il repéra le sentier balisé qui s'enfonçait dans la forêt. Une forêt d'un calme imperturbable. Il plissa les paupières, scruta la pénombre. Des flaques de nuit, insaisissables et flottantes, inondaient le sous-bois d'une atmosphère insolite.

Comme s'il était peuplé de présences impalpables...

Tristan s'y aventura avec vigilance. Dans cet univers parallèle, un animal à l'aspect inoffensif pouvait se révéler une créature terriblement dangereuse.

Le monastère apparut au terme d'une longue montée abrupte. Tristan s'immobilisa, envahi d'un doute affreux, regrettant presque sa décision. Peut-être aurait-il mieux fait de rebrousser chemin et de rallier la cité portuaire, comme prévu au départ...

Il chassa aussitôt cette pensée, l'espérance de revoir Océane bien ancrée en lui. Les fragments de texte relevés dans son carnet dévoilaient son intérêt pour ce lieu. En revanche, la nature de sa curiosité semblait aussi obscure que la mégastructure se dressant au bout du chemin.

Escorté des deux lunes blafardes, le monastère de Noirlac se hérissait vers le ciel en un vaste amas de silhouettes blindées, aussi effrayant qu'un cauchemar. Noirlac... Ce nom lui convenait parfaitement, songea Tristan. Un frisson nerveux lui parcourut le dos tandis qu'il contemplait l'imposante architecture.

Il voyait une superposition confuse de tours crénelées, de clochers coiffés de flèches gothiques, de balustrades flanquées de gargouilles grimaçantes et de démons enchaînés, coincés dans une profusion d'arcs-boutants, de puissants contreforts, de piliers ornés de têtes hideuses et de voûtes aussi audacieuses qu'arachnéennes. Perché sur un pic rocheux au bord d'un précipice, le monastère, auquel on accédait par un pont étroit, semblait défier les lois de l'équilibre.

Bravant les assauts du vent, Tristan s'avança avec précaution. Traverser le pont s'avéra périlleux. Lorsque le moment fut venu de saisir l'anneau du heurtoir, inséré dans les naseaux d'un lion fixé à la porte, des spasmes nerveux secouèrent sa main. Incapable d'en dominer le tremblement, il ferma les yeux et prit une longue inspiration, laissant le calme libérer la tension accumulée, assouplir la rigidité de ses muscles.

« Tout ira bien », se répétait-il pour s'encourager.

Pour demander asile, un voyageur n'avait qu'à frapper le heurtoir. Selon Bilal, le monastère offrait à l'occasion l'hospitalité aux pèlerins blessés, qui pouvaient ainsi bénéficier des soins de l'infirmerie. C'est précisément cette dernière option qui avait incité Tristan à venir en ce lieu. Peut-être Océane s'y était-elle réfugiée. Peut-être...

Rassemblant son courage, il se décida enfin à frapper à la porte. Le battant finit par s'ouvrir, laissant apparaître le portier, un moine trapu au visage renfrogné. Toutefois, à la vue de la cordelière rouge nouée autour de la taille de Tristan, ses traits se détendirent. Il s'inclina :

– Nous sommes honorés de vous accueillir. Entrez, cher frère, nous vous attendions…

On l'attendait ? Tristan ne montra pas sa surprise. Flegmatique, il courba la tête et emboîta le pas au portier qui le conduisit à travers une enfilade de couloirs obscurs pour finalement aboutir à un réfectoire. On l'invita à s'asseoir afin de prendre le repas qu'on lui servirait sous peu. Il s'exécuta tandis que le moine s'éloignait à pas feutrés. Un silence oppressant s'installa dans cette salle dont l'immensité reléguait l'humain au rang de minuscule fourmi.

Quelques instants plus tard, une adolescente fit irruption dans la pièce, un plateau dans les mains. Elle se déplaçait avec une grâce spectrale, sa robe de percale ivoire dessinant le contour de sa frêle silhouette. Sa peau et ses longs cheveux, dépourvus de toute pigmentation, se teintaient d'une blancheur lactée. Sa bouche accusait une pâleur bleutée.

On aurait presque dit l'apparition d'un fantôme…

Elle déposa un bol de ragoût fumant devant Tristan et se retira. Du moins, il le présumait. Un léger bruit de cliquetis attira son attention. Intrigué, il se retourna. L'étrangère tenait au creux de ses mains blanches un objet métallique. Une carte de passage. D'où sortait-elle ? Pendant une seconde, il crut avoir perdu la sienne. À moins… Était-ce celle d'Océane ?

Puis, une idée germa dans son esprit. Dérangeante… Cherchait-elle à le démasquer ? Si on apprenait qu'il se faisait passer pour quelqu'un d'autre, les répercussions risquaient d'être désastreuses. Préférant jouer de prudence, il fit un effort monumental pour refluer le trouble secret qui le submergeait.

– Qu'est-ce que c'est ? demanda-t-il d'une voix qu'il souhaitait neutre.

– Ce collier ne vous est pas familier ? questionna la fillette en plongeant son regard dans le sien. C'est très important.

Tristan l'observa, méfiant. Une lueur interrogative dilatait ses yeux aussi translucides qu'un cristal de tourmaline. Comment lui faire confiance ? Pouvait-il se dévoiler ? Il ne pouvait rater l'occasion de sonder son intention.

– Peut-être, risqua-t-il.

L'adolescente lui déclara :

– Dans ce cas, j'aimerais vous montrer quelque chose. Mais nous devons faire vite. Il ne faut pas éveiller les soupçons de maître Maynard, sinon il enverrait ses Martyrs à nos trousses. Suivez-moi.

– Ses Martyrs ?

– Des créatures décharnées, arrachées à leur tombe, au service de l'Ordre des Prieurs. Dépêchez-vous !

– Charmant, fit-il en se levant en vitesse. Comment t'appelles-tu ?

– Akana.

– Moi, c'est Tristan. Et où allons-nous, Akana ?

– À la salle des morts.

À ces mots, Tristan devint livide. Son cœur se serra. Aurait-il à identifier un corps ? Un corps qu'il avait tendrement tenu dans ses bras ? Tendrement aimé ? Océane…

Il se remémora sa magnifique chevelure d'ébène et ses yeux d'un vert émeraude.

Perdu dans ses pensées, Tristan suivait son hôtesse, gravissant un escalier qui permettait d'atteindre un jardin d'herbes médicinales à ciel ouvert. Puis ils longèrent un portique supporté par une rangée de fines colonnes qui menait à l'infirmerie. Ils pénétrèrent dans une vaste pièce à peine éclairée par des lanternes suspendues, dotée d'étroites fenêtres et pourvue de plusieurs lits alignés. L'appellation de l'endroit prenait tout son sens. Une odeur désagréable imprégnait l'air.

Celle de la mort…

Quelques malades au teint cireux, assoupis ou secoués de tremblements, geignaient dans la solitude de leur lit. Tristan jeta un regard circulaire, scruta les visages. Malgré la consternation qui l'étreignait, il sentit une vague de soulagement déferler en lui.

Personne n'avait la physionomie de sa compagne.

Dans un froissement de robe, l'adolescente le dépassa et se dirigea vers le fond de la salle. Elle lui fit signe d'un geste de la main. Tristan aperçut alors une malade qu'il n'avait pas encore remarquée.

Vêtue d'une simple tunique, une vagabonde était affalée sur le sol, tapie dans un coin. Ses cheveux courts, d'un blanc crayeux, étaient si embroussaillés qu'on aurait dit qu'ils avaient été coupés à coups de lame rageurs. Sa peau présentait une blancheur laiteuse. Anormale.

Il s'approcha lentement et s'accroupit près d'elle. Pourquoi avait-il l'impression de la connaître ? Était-ce une ancienne connaissance ? Une copine rencontrée par l'entremise d'un des Maraudeurs de l'étrange ? Si elle avait croisé Océane, elle saurait le guider. La tête appuyée contre le mur de pierre, la malade restait prostrée. Tristan ne distinguait pas les traits de son visage, mais son profil lui semblait familier.

Puis le regard de la jeune femme se tourna vers lui. Un mélange d'indifférence et d'égarement le frappa en plein cœur. Car même si ses yeux n'abritaient plus la couleur de l'émeraude, ils possédaient encore tout leur charme.

Océane !

Bon sang ! Que lui était-il arrivé ?

– Ma douce, murmura-t-il, la gorge nouée.

Il déposa une main sur son épaule. La jeune femme se libéra d'un geste brusque. Apeurée. L'expression de son visage se ranimait, se peignant d'un air farouche.

– Océane, c'est moi, Tristan. Tu ne me reconnais pas ?

Doucement, il tendit les doigts vers sa compagne. Effleura sa joue. Geste de tendresse. De sollicitude. La réaction fut immédiate. Océane lui cracha au visage. Ses yeux luisaient d'une sauvagerie que Tristan n'avait jamais vue.

Bouleversé, il se demandait comment il parviendrait à la ramener. Sans qu'elle déclenche un branle-bas de combat.

– Inutile d'insister, souffla Akana en s'agenouillant à ses côtés. Son esprit est embrouillé. Il lui faudra plusieurs jours pour se remettre.

– Plusieurs jours ? releva-t-il, sévère. Mais que s'est-il passé ? Qui l'a mise dans cet état ? Et sa peau, pourquoi est-elle si... cadavérique ? Ses cheveux...

– Ce sont les effets secondaires d'une morsure de Mistral. Une vipère qui vit dans les sables du Nord. Malheureusement, elle en gardera des séquelles définitives. Ni sa peau ni ses cheveux ne retrouveront leur couleur naturelle. Moi aussi, quand j'étais petite, j'ai été mordue. Un stupide accident. Par contre, pour ce qui est d'Océane...

L'adolescente marqua une pause, jeta des regards furtifs par-dessus son épaule et murmura :

– À mon avis, elle a été victime d'un maléfice...

– Comment ça ? s'étonna Tristan.

– Océane visitait régulièrement la bibliothèque. Elle semblait chercher des informations sur une certaine porte. La journée avant l'incident, elle m'a demandé où se situait l'entrée de la crypte abandonnée. Je le lui ai révélé, en lui précisant l'interdiction formelle de pénétrer dans ce lieu maudit. Elle ne m'a pas écoutée...

Le lendemain, elle s'est retrouvée à l'infirmerie. Malheureusement, sa curiosité l'a condamnée à subir un mauvais sort.

Tristan fronça les sourcils.

– À mon avis, cet incident n'a rien à voir avec la sorcellerie. Il est plutôt dû à un acte d'hostilité. Quelqu'un a voulu interrompre ses recherches. Mais qui ?

– Je ne sais pas... Quoi qu'il en soit, avant de perdre toute lucidité, elle m'a confié le collier qu'elle portait à son cou et m'a chargée de le remettre à celui qui viendrait la chercher. Vous êtes l'unique visiteur dont les yeux se sont enflammés à la vue du médaillon, ajouta-t-elle avec un sourire candide. Ce message vous est sans doute destiné.

Akana fouilla sous les plis de sa robe et lui remit un rouleau de parchemin chiffonné. Pendant que le garçon le déroulait, elle l'observa avec une curiosité non dissimulée.

Tristan consulta la missive en essayant vainement de maîtriser le tremblement de ses mains. Il sourcilla. Le message était crypté dans une succession de codes que seuls les Maraudeurs employaient. Un code qu'il avait appris grâce à la patience d'Océane...

Tristan s'ébroua. Reporta son attention sur la lettre.

Les mots s'enchaînaient de façon chaotique. Déformés. Manifestement griffonnés par une main fiévreuse qui se débattait contre des forces obscures. Contenant sa colère, il dut relire le message plus d'une fois afin d'en déchiffrer le contenu.

Il découvrit que les Maraudeurs, en empruntant les trois Portes, avaient ravivé une magie éteinte depuis près d'un siècle. Une magie secrète suffisamment puissante pour anéantir le monde tel que nous le connaissons actuellement. La menace d'un envahissement planait. Pressentant un danger imminent, Océane avait réussi à déployer un sortilège d'avertissement sur la Porte du portail principal.

Peu fier, Tristan se rendit compte que la mise en garde lui avait complètement échappé...

Océane y était parvenue grâce au savoir alchimique de maître Maynard. De toute évidence, le Prieur avait consenti à lui prêter main-forte. La fin du message, toutefois, était plutôt ambiguë. Les mots *cérémonie, hypnotique, Scorpial* et *gravure* semblaient revêtir une signification que Tristan n'arrivait pas à comprendre tant les phrases étaient fragmentées. Par contre, la dernière note écrite en gros caractères ne portait pas à confusion : *S.O.S. MAYNARD.*

– Nous devons partir.

La voix juvénile d'Akana ramena Tristan à la réalité. L'adolescente le priait de retourner au réfectoire. Il ne pouvait se résoudre à abandonner Océane dans un lieu aussi sinistre. D'un autre côté, aucune alternative ne se présentait à lui. En revanche, solliciter l'aide de ce Maynard s'avérait une solution envisageable. Si Océane lui avait accordé sa confiance, c'est qu'il en était digne.

Tristan glissa le parchemin dans sa besace et passa à son cou la carte de passage ayant appartenu à sa compagne. Puis, à contrecœur, il quitta Océane, se promettant de revenir la chercher...

Dans la grande salle, deux créatures attendaient le jeune homme. Tristan devinait qu'il s'agissait des Martyrs. Devant leur apparence si repoussante, son instinct lui dictait de prendre ses jambes à son cou et de s'enfuir.

Jugulant sa peur, il se sentit traversé d'un frisson glacial.

Sous les pans de leurs houppelandes informes émergeaient des sabots de taureau qui claquaient sur les dalles de pierre polie. Suspendu à leur cou, cliquetait un enchevêtrement de chaînes, de talismans et d'osselets douteux. Quelques rares cheveux filasse entouraient leur visage, qui paraissait modelé d'une substance flasque et ravinée.

D'un même mouvement, les deux Martyrs se tournèrent vers lui. Quatre yeux se vrillèrent sur Tristan. Quatre globes enflammés. Aussi écarlates qu'une mare de sang. Armés de sabres tranchants, ces êtres transpiraient l'arrogance de ceux qui maintiennent l'Ordre.

Une certitude s'imposa à lui : toute forme de résistance était dérisoire.

L'une des créatures s'approcha du jeune homme, ombre menaçante. Elle se pencha.

Tristan retint sa respiration. Que lui voulait-on ? D'une voix d'outre-tombe, le sinistre personnage énonça son intention de le conduire auprès de maître Maynard. Immédiatement.

Tristan se plia à sa requête, non sans crainte.

En parcourant les couloirs, taillés dans le vif de la montagne et faiblement éclairés, Tristan repassait dans sa tête le fil des derniers événements. Il avait conscience de s'enfoncer dans les profondeurs de la terre. Où l'amenait-on ? Vers la partie la plus secrète du monastère ? Son intuition lui murmurait qu'Océane avait exploré le même passage souterrain.

Qu'avait-elle trouvé pour se heurter à cet acte de malveillance ? Une simple Porte ? Ou quelque chose de beaucoup plus redoutable ? Infiniment plus pernicieux... comme cette sombre histoire de magie guerrière. Qui se cachait derrière cette terrible découverte ?

Le monastère abritait-il des sorciers dont personne ne soupçonnait l'existence ? Sauf Océane et l'individu qui lui avait causé ce tort sérieux. Qui cela pouvait-il être ?

Un doute soudain s'immisça dans son esprit : quelle signification recelait le code *S.O.S. MAYNARD* ?

Un hurlement rauque tira Tristan de ses réflexions. Il percevait un bruit confus de râlement et de cris inarticulés. Qu'est-ce que c'était ? Bientôt, le groupe arriva devant une porte ouvragée dont les ornements évoquaient celle d'une chapelle. S'agissait-il de la crypte abandonnée ? L'un des deux Martyrs étira un bras décharné, tourna la poignée et fit lentement pivoter le battant. Ébauchant un geste qui ne laissait place à aucune opposition, la créature lui désigna l'entrée. Malgré lui, Tristan obtempéra. Dans un long grincement, la porte se referma derrière son dos.

Le jeune garçon avança d'un pas et se figea, foudroyé.

On l'avait bel et bien conduit à une crypte.

Toutefois, la scène qui s'offrait à lui dépassait l'entendement.

Creusée à même la pierre, d'une hauteur vertigineuse, la crypte pouvait être confondue avec une caverne. Pour l'heure, on avait converti l'endroit en infirmerie ! Sept lits en fer forgé noir, disposés en cercle, occupaient le pourtour de la cavité. Cinq hommes alités, les chevilles et les poignets solidement garrottés, se tortillaient. Leur visage était moite de sueur, leurs yeux se révulsaient, et deux d'entre eux hurlaient comme si le diable en personne leur déchirait les entrailles. Une femme ligotée dans un autre lit avec les poignets ensanglantés à force de se débattre, s'échinait à se mordre l'épaule. Une autre femme marmonnait des mots incompréhensibles.

Tristan sentit un flot de colère mêlée d'incompréhension bouillonner en lui. Que fabriquait maître Maynard ? Ce dernier se pavanait dans une chasuble richement parée qui, aux yeux de Tristan, ne convenait pas du tout à la situation. Le Prieur s'affairait à terminer une saignée qu'il avait de toute évidence pratiquée sur chacune des victimes. Il avait versé le sang fraîchement recueilli dans un vase posé sur un trépied de bronze.

– Vous voilà enfin, mon garçon ! tonna maître Maynard en rangeant ses instruments sur une table en bois. Votre collaboration m'est indispensable !

– Pourquoi avez-vous attaché ces gens ? interrogea Tristan, sans tenir compte de la remarque.

– Parce que c'est le seul moyen de les garder en vie – et nous aussi, par la même occasion, répliqua son interlocuteur, les lèvres tuméfiées, probablement par un solide coup de pied.

– En vie ? Croyez-vous qu'une simple saignée suffira à les soigner ?

– Le mal qui les ronge va bientôt éclore, expliqua Maynard. Recueillir le sang de ces pauvres bougres peut contribuer au salut de leur âme... Quant à la mort, elle tentera de leur épargner la souffrance – sans vraiment y parvenir. Nul ne peut échapper à la morsure d'un Scorpial, ajouta-t-il avec un sourire sardonique. Voici une occasion extraordinaire !

Tristan avait noté le cynisme des paroles de cet homme. Mais le mot *Scorpial* lui transmit une onde de choc infiniment plus brutale.

Ce type délirait ! Il n'y avait pas de quoi se réjouir ! Tous les Maraudeurs de la guilde craignaient la morsure empoisonnée de cet animal. TOUS ! Ils la redoutaient plus que la mort ! Océane en avait dressé un portrait suffisamment éloquent pour ne pas confondre la bestiole avec un cafard.

Infectées par le venin d'un Scorpial, les victimes plongent dans un délire paranoïaque, sans compter la foudroyante transformation qui altère leur anatomie. Inexorablement, les victimes deviennent des créatures hideuses au comportement belliqueux, si sanguinaires qu'elles font frémir les vaillants combattants du pays de Darke.

Se rappelant l'alerte confuse formulée dans la lettre, Tristan recula et jeta des coups d'œil furtifs sur le dallage. L'une de ces satanées bestioles se dissimulait-elle dans un coin obscur, prête à lui sauter au cou et à se repaître de son sang ?

Le doute peu à peu se mua en certitude : Maynard n'était pas un homme de confiance, mais un être animé de sombres desseins ! Pourquoi l'avait-il convoqué ici ? Pour lui infliger cette abominable transformation, sous d'atroces souffrances ?

Tristan se rendit compte de la précarité de sa situation. Il devait fuir ! Et vite !

Il effectua trois enjambées en direction de la sortie. Il s'arrêta net, pestant intérieurement. Deux Martyrs bloquaient l'accès à la porte. Leur regard de braise se dilata et se planta droit sur lui. Perforant son âme de part en part.

Soutenant le poids de ces regards, Tristan eut le sentiment indéfinissable que sa mission se terminait. Lamentablement.

Il serra les dents.

Ne pas se laisser impressionner.

Réfléchir.

La voix du Prieur s'éleva dans son dos. Étrangement paternelle. Hypocrite.

– Ne restez pas là, mon garçon, venez près de moi.

Tristan jeta un œil inquiet aux captifs attachés à leur funeste prison de fer forgé. Leur transformation semblait imminente... Une force obscure enfiévrait les victimes. L'atmosphère en était étouffante.

– Approchez-vous !

– Qu'est-ce que vous manigancez ? demanda Tristan, agressif. Pourquoi m'avoir fait conduire ici ?

– Vous possédez quelque chose d'inestimable.

Le Prieur s'avança vers lui, un sourire condescendant sur le visage.

– Je ne comprends pas ! rétorqua le Maraudeur en fronçant les sourcils.

– Votre collier.

– Ma carte de passage ? Mais... Et si je refusais de vous la remettre ?

– Il existe un moyen fort persuasif de vaincre votre obstination, répondit l'homme, imperturbable. Soyez coopératif, et rien de fâcheux n'arrivera.

Cet illuminé osait le menacer ? Tristan le regarda, incrédule.

– Les Martyrs, eux, sont d'obéissants serviteurs, insista l'homme en désignant les colosses. Ils n'ont qu'un ordre à recevoir.

– Vous pensez m'effrayer avec vos monstres sans âme ?

– Ne soyez pas ridicule ! L'ordre ne vous serait pas destiné, mais dirigé vers celle qui a su conquérir votre cœur.

Le traître ! Il réduisait Océane à un moyen de chantage. Et Tristan n'était plus qu'un pion sur l'échiquier. Il sentit son courage défaillir. Son ventre se noua.

– Vous... vous n'oseriez pas commettre une chose pareille ? souffla-t-il.

– Je n'ai qu'un mot à prononcer. Un seul.

Le Maraudeur blêmit. Il était coincé comme un rat...

Le moine riva son regard à celui de ce contestataire, dont la détermination faisait briller les pupilles. Il fit mine d'ouvrir la bouche.

– D'accord, d'accord, vous avez gagné !

Contraint à se soumettre, Tristan glissa la main dans l'encolure de son vêtement, à la recherche de sa carte de passage. Il se rendit compte alors que celle d'Océane, qu'il portait toujours sous sa bure, émettait une lueur diffuse. Qu'est-ce que cela signifiait ? Dissimulant sa surprise, il ôta son collier et le tendit à l'autre.

Tristan en aurait pleuré. De rage. Comment parviendrait-il à emprunter le portail à présent ?

– La Cérémonie du sang peut enfin débuter, déclara Maynard en suspendant la carte de passage à son propre cou.

Il se dirigea vers une vasque de marbre faisant office d'autel au centre de la crypte. Il prit dans ses mains le vase débordant de sang frais et récita une invocation silencieuse. D'une splendeur insolente, les ornements de sa robe de cérémonie chatoyaient sous l'intensité des lanternes. Puis, avec d'infinies précautions, le Prieur versa le contenu dans la cuvette. Aussitôt, des ravines de sang émergeant du piédestal distribuèrent le précieux liquide à travers de fines rainures lambrissant la totalité du dallage.

Le visage du moine se peignit d'un mélange d'appréhension et de fascination. Morbide.

Tristan, lui, sentit une vibration sous ses pieds, suivie d'une sensation de chaleur. Désagréable. Infernale. Comme si les flammes d'un bûcher lui léchaient le corps avant de l'embraser. Autour de lui, une énergie farouche l'étouffait, comme autant de mains invisibles et oppressantes. Irrésistibles.

En un éclair, Tristan comprit : le moine ranimait la magie secrète évoquée par Océane. Une cérémonie dont la puissance libérerait un pouvoir insoupçonné. Et dont l'issue fatale donnerait naissance à de nouveaux conquérants. *L'armée des Scorpials...*

Comme pour confirmer sa théorie, les victimes émirent des grognements gutturaux. Tristan, à la fois horrifié et dégoûté, recula d'un pas. Quelque chose d'impossible se produisait. Les bras sur lesquels on avait pratiqué une saignée étaient si gonflés et bleuis qu'on les aurait crus atteints de gangrène.

Mais le plus incompréhensible, c'était les corps étrangers qui saillaient des jointures.

Anormalement pointues, aussi effilées que des aiguilles...

Bientôt, l'apparence de ces hommes et de ces femmes ne serait plus qu'un vague souvenir...

La panique commença à déverser dans les veines de Tristan son flot d'adrénaline. Il fallait qu'il sorte de ce caveau. À tout prix !

Le Prieur, occupé au rituel de sa cérémonie, ne lui accordait plus la moindre attention. Tristan en profita pour se poster devant les Martyrs, une idée complètement folle à l'esprit. À ce point, il n'avait plus rien à perdre.

Les colosses ne bronchèrent pas. Barrière infranchissable. Inflexible. Tristan ne céda pas pour autant. Malgré le tourbillon de pensées qui assiégeaient sa conscience, deux mots lui revenaient en mémoire avec une étonnante lucidité : *gravure* et *hypnotique*. Un pressentiment l'habitait : Océane les avait tracés en leur conférant un pouvoir latent. En fouillant dans les livres de la bibliothèque, elle avait cherché plus qu'une simple porte. Elle avait peut-être improvisé une issue de secours. Il existait une seule façon de le savoir.

Ne se fiant qu'à son instinct, Tristan brandit la carte de passage de son amie sous le nez des créatures. Son cœur battait à tout rompre. Allait-il déjouer les Martyrs ? Le stratagème semblait fonctionner !

Subjugués par un charme hypnotique, leurs traits rébarbatifs s'adoucirent.

– Écartez-vous, ordonna Tristan.

Avec une docilité désarmante, les Martyrs se poussèrent pour lui livrer le passage. Ne croyant pas sa chance, Tristan s'élança sur la porte de la crypte, l'ouvrit et se précipita dans le couloir souterrain. Il courut à perdre haleine, l'ivresse de la victoire envahissant tout son être.

Cependant, sa mission était loin d'être accomplie. Il devait retrouver Océane…

En tournant l'un des coudes du corridor, il tomba face à face avec Akana.

– Akana ! s'exclama-t-il. Aide-moi à rejoindre Océane ! Le médaillon sert à neutraliser les Martyrs. Nous n'avons rien à craindre d'eux. Akana ? Que… Que fais-tu ?

D'un geste sidérant de rapidité, elle lui arracha sa carte de passage.

Il tressaillit. L'adolescente l'observait avec intensité ; mais, plus encore, l'aspect de son visage l'ébranlait. Sa candeur ingénue avait cédé la place à des traits dégageant la malveillance et la sournoiserie. Un sourire énigmatique étira ses lèvres.

– Tu ne croyais tout de même pas que je te laisserais filer si aisément. Notre armée a besoin de recrues de choix, tu es un candidat parfait !

Puis, elle émit un ordre.

Un seul…

Cauche... marre

par

Jean-Pierre Davidts

Salut, je m'appelle Jean-Pierre Davidts (on dit « vitse »), mais pour les copains, c'est Jipé. Je te dirai pas mon âge. Dans ma tête, je suis resté ado. C'est peut-être pour ça que j'écris pour les jeunes. J'ai fait des études en bio. Je suis même devenu microbiologiste. Comme j'aimais pas trop chercher les poils de souris dans la farine, je me suis recyclé traducteur. Traducteur scientifique. Y a pas mal de boulot. Tellement que ça devient blasant à la longue. Pour varier, j'écris. Des trucs rigolos. Sur des petits bonshommes gentils. Sauf que les petits bonshommes gentils, ils finissent par me taper sur les nerfs. Alors, pour me détendre, j'en tue quelques-uns à l'occasion. Dans des histoires bien tordues. Des histoires dont on peut pas deviner la fin. Comme celle-ci, où mon personnage vit son pire cauchemar. Pour lui, y a vraiment pas de quoi rigoler…

– Jeff, Jeff. Réveille-toi.

– Mmh ? Quoi ?

Jeff ouvrit un œil, jeta l'autre à sa montre. Deux heures du matin ! Il jura tout bas. Quatre jours qu'ils ne dormaient pas. Enfin, presque pas.

– Qu'est-ce qu'il y a encore ?

– T'as entendu ?

Accroupi sur son sac de couchage, Marco était plus tendu qu'une corde de violon.

– Entendu quoi ?

– Là ! Le bruit.

– Stéphane l'a dit mille fois. Sa mère a accroché des carillons partout dehors.

– Non, non, c'est pas pareil. On dirait... on dirait des grelots.

« Bingo ! », ne put s'empêcher de songer Jeff.

– Et ça vient pas de l'extérieur, ça vient d'en bas. Cette fois, c'est *lui*. J'en suis sûr.

Lui : le Boucher.

Pas moyen d'y échapper. Depuis leur arrivée, ils en parlaient tous les soirs. Ensuite, c'était la nuit blanche assurée.

À quand remontait cette histoire de fous ? À samedi. Voilà. Tout avait commencé samedi.

– Mon père nous laisse les clés du chalet pour la semaine, avait annoncé Stéphane. On a juste à monter de la bouffe et nos sacs de couchage.

Dans sept jours, ce seraient les examens. Les derniers. Après, ils seraient libres comme l'air. Libres d'aller à l'université, libres de se trouver un boulot, libres de courir les filles, libres de ne plus jamais aller à l'école s'ils le désiraient, libres, surtout, de ne plus écouter les parents. Mais avant, il y avait les examens et ils voulaient terminer leur DEC en beauté. Ils avaient donc convenu de consacrer la semaine aux études.

– Pas de télé, pas de cellulaire, pas de jeux vidéo.

C'était la seule règle.

Le samedi matin, ils avaient chargé le matériel dans la voiture de Marco : de quoi tenir une semaine, quelques vêtements de rechange, la literie, un lecteur et sa pile de CD, plus les notes de cours sur lesquelles ils avaient planché le semestre entier.

Ensuite, direction le lac Colvert.

Neuf, le chalet était complètement isolé. Dans ses vitres panoramiques se reflétait un lac aux eaux paisibles et glauques. Aménagée comme un loft, la vaste pièce du rez-de-chaussée faisait office de cuisine, salle à manger et salon ; à l'étage, une mezzanine donnait sur deux chambres et la salle de bains. Ils convinrent de « camper » dans la plus grande.

Jeff, Marco et Stéphane se connaissaient depuis le primaire ; ils avaient fait leur secondaire ensemble, avaient presque suivi les mêmes cours au cégep. Rien ne semblait devoir les séparer.

La vie allait s'en charger.

La vie et le Boucher.

Le samedi, tout se passa bien. Une fois installés, ils s'étaient attelés derechef à la tâche, révisant une matière après l'autre, ne prenant que de rares pauses et encore moins d'air frais.

L'ennui – cette maladie insidieuse aux effets pernicieux – commença son travail de sape le lendemain.

Sans autre distraction que de la musique et des livres de classe, les soirées s'annonçaient longues.

Ce fut Jeff qui imagina une solution.

– Si on se racontait des histoires d'horreur ?

– J'en connais pas, protesta Stéphane. Et puis, j'ai jamais vraiment aimé ça.

Marco, lui, raffolait. Le frisson, c'était sa drogue. Quand l'estomac rétrécit dans le ventre et que le cœur se démène, que la bouche s'assèche et que la respiration s'interrompt… C'est ça qui le faisait *tripper*. Pourtant, les trucs *gore* – ceux où le sang et la cervelle giclent dans tous les sens – le laissaient plutôt froid. Non, son truc à lui, c'était les histoires bien ficelées, tout en sous-entendus, où la tension monte lentement jusqu'à devenir insupportable et qui se terminent en coup de poing. De celles qu'on aime à se rejouer dans la tête pour retrouver la décharge d'adrénaline. Peut-être parce que Marco était un trouillard. Il le cachait bien, mais, dans le fond, il avait peur de tout et encore plus du noir.

Des histoires d'horreur, Jeff en connaissait quelques-unes, Marco des tas. Quand vint son tour, Stéphane resta sur sa position. Il ne pouvait en dire pour la simple et bonne raison qu'il n'en connaissait aucune.

– Raconte-nous ton cauchemar alors, suggéra Jeff.

– Quel cauchemar ?

– Celui de la nuit dernière, renchérit Marco. Tu nous as réveillés avec tes gémissements. Et ça n'avait pas l'air d'être des gémissements de plaisir.

La mine de Stéphane s'assombrit.

– Non, je ne peux pas en parler.

– Pourquoi ? C'est trop horrible ?

– En un sens, oui.

– Qu'est-ce que tu veux dire ?

– C'est horrible parce que c'est vrai.

Jeff et Marco se regardèrent.

– C'est quelque chose qui t'est arrivé ?

– C’est quelque chose qui *m’arrive.*

– Bon, faut que tu continues maintenant. T’en as trop dit ou pas assez.

– Vous me croirez pas. Vous direz que j’invente.

– On s’en fiche. Tout ce qu’on veut, c’est avoir peur.

Alors, Stéphane leur narra l’histoire du Boucher.

« En novembre, l’an dernier, mon grand-père a été hospitalisé pour une fracture de la hanche. Après l’opération, comme ça se ressoudait mal, on l’a transféré dans une clinique de soins de longue durée. J’allais lui rendre visite régulièrement et je voyais bien que ça n’allait pas fort. Il dépérissait. Comme si la vie était subitement devenue trop lourde à porter pour lui qui, d’habitude, était toujours plein d’entrain.

« Un jour, il m’a fait signe d’approcher.

« – Stéphane, je n’en ai plus pour longtemps, m’a-t-il dit.

« – Arrête, grand-papa. Ça ira mieux, tu verras. C’est juste une mauvaise passe.

« – Non. Je sais de quoi je parle. Mais avant de partir, je dois te confier un secret.

« – Un secret ?

« – J’ai tellement prié pour que ta mère n’ait pas d’enfant, tu ne peux pas t’imaginer.

Quand tu es venu au monde et que j'ai vu qu'il s'agissait d'un garçon, j'ai même failli maudire le ciel. Puis je me suis dit qu'en fin de compte, c'était mieux comme ça. Si ta mère avait eu une fille, j'aurais quand même dû lui apprendre ce que je sais et elle ne m'aurait pas cru tandis que toi... Au début, tu ne me croiras pas non plus, tu penseras que je radote, qu'une chose pareille est impossible, sauf que tu constateras vite que j'ai dit la vérité, alors qu'une fille...

« – De quoi tu parles là, grand-papa ? Je te suis pas du tout.

« – Je parle de la malédiction. Celle qui afflige la famille.

« J'aurais ri s'il n'avait eu l'air si grave.

« – Quelle malédiction ?

« – C'est comme ça que l'appelaient mon père et son père avant lui. Mais les temps ont changé. La science a beaucoup évolué. Aujourd'hui, on sait des choses qu'on ignorait avant. Maintenant, on dirait que c'est héréditaire.

« – Maman a une maladie héréditaire ?

« – Ta mère n'a rien. Seuls les hommes en sont atteints. Un peu comme le daltonisme. Et je n'ai jamais parlé de maladie.

« – De quoi alors ?

« – D'un cauchemar. D'un cauchemar héréditaire.

« Oui, je vois bien que vous ne me croyez pas. Moi non plus, je ne l'ai pas cru au début. Un cauchemar héréditaire ! Mon grand-père n'avait plus toute sa tête. Et puis, en supposant que ce soit possible, qu'est-ce que ça avait de si terrible ?

« – C'est terrible, m'a expliqué mon grand-père, parce que la vie d'innocents est en jeu.

« – Comment ça ?

« – Avant d'aller plus loin, laisse-moi te raconter le cauchemar. Ainsi tu le reconnaîtras et tu sauras quoi faire le moment venu.

« Alors, il m'a décrit ce qui se passait chaque nuit dans sa tête.

« – Tu dors dans ton lit quand, soudain, tu te réveilles. Ton cerveau, qui ne se repose jamais, même durant le sommeil, vient de sonner l'alarme. Tu t'assieds et tu essaies de savoir ce qui t'a réveillé ainsi en sursaut. Tout semble calme pourtant. À part toi, il n'y a personne dans la maison. Puis, juste au moment où tu vas te rendormir, tu l'entends. C'est un petit bruit de rien du tout, un bruit de grelots qu'on agite très loin, comme celui d'un chien qui se promène et fait sonner la clochette fixée à son collier. Rien de bien inquiétant. Intrigant plutôt. Ton esprit se demandera ce qui en est la cause, parce que le bruit ne vient pas du dehors, il vient de l'intérieur. Et tu sais pertinemment que rien dans la maison ne peut faire un tel bruit. Alors, le bruit revient. Un peu plus fort. Et encore. Chaque fois, l'intervalle est un peu plus court, le bruit vient un tantinet plus vite. Toi, tu restes là, à t'interroger sur ce qui approche en faisant ce bruit de grelots. Le plus simple serait de te lever et d'aller voir, mais tu n'arrives pas à bouger. C'est comme si tu étais soudé au lit. Ton cœur se met à battre plus vite avec l'adrénaline que ton pancréas libère dans le sang. Une sueur te glace le dos et la nuque. Parce que ce qui vient est mauvais. Tu le sais. Ton esprit le hurle. Décampe ! À présent, les clochettes sonnent dans l'escalier. S'y ajoute un choc sourd, le son d'un pied qui s'abat lourdement sur la marche avant de soulever le corps qui pèse sur lui. Pour faire un tel bruit, il faut un sacré colosse. On sent presque l'escalier trembler quand le pied – la patte ? – s'abat et frappe le bois de la marche. Dans ta tête, les signaux se multiplient : "Lève-toi. Va-t'en. Déguerpis avant qu'il soit trop tard." D'autant plus que, maintenant, la porte de la chambre tremblote à chaque boum. Au prix d'un effort incroyable, tu réussis à te lever. Pas question de sortir par la porte, la retraite est coupée de ce côté. La seule issue est la fenêtre, à l'autre bout de la pièce. Trois mètres t'en séparent. Trois kilomètres. Pour te sauver, il faut ouvrir la fenêtre et l'enjamber pour atterrir sur la pelouse où tu pourras courir jusqu'à ce que tu sois en sécurité en appelant du secours. Alors tu t'élances. En vain. Tes jambes sont si lourdes, tu es si lent qu'il faut une bonne minute pour avancer d'un pas. Le bruit de grelots, lui, grossit, accélère. Mais il y a pire. Tu viens à peine de dépasser la porte que tu l'entends s'ouvrir derrière toi. Les clochettes sonnent aussi fort que des cymbales ; des pieds martèlent le plancher et une respiration rauque et profonde envahit la pièce. La fenêtre n'est plus qu'à quelques pas. Tu pourrais presque la toucher en tendant le bras. Tu as le temps d'y arriver avant que ton poursuivant te rattrape. À condition que tu ne regardes pas derrière toi. Un coup d'œil. C'est tout le temps dont tu disposes pour t'enfuir. Si tu y parviens, tu te réveilleras et tout ira bien.

« – Et si je regarde ?

« – Celui qui te pourchasse t'attrape et te tue.

« – Tu veux dire, je meurs pour de bon ?

« – Non, non. Tu te réveilleras le matin suivant. Seulement, après t'avoir tué dans ton rêve, c'est le monstre qui s'échappe par la fenêtre. Et une fois dehors, il commettra d'autres crimes. »

Un sourire narquois égayait le visage de Jeff. Marco, en revanche, avait plutôt le teint livide.

– Tu vas pas nous faire avaler que ce qu'il y a dans ton rêve se matérialise pour tuer des gens ? objecta le premier.

– Quand je disais que vous ne me croiriez pas.

– C'est vrai que c'est un peu tiré par les cheveux, admit Marco d'un ton nettement moins convaincu. Si c'était le cas, on en aurait entendu parler, non ?

– Vous vous rappelez en décembre, cette histoire de tueur en série ?

Le Boucher de Noël. C'est le sobriquet que lui avaient trouvé les journalistes, la raison étant qu'après avoir éventré ses victimes, le tueur accrochait leurs tripes aux branches des sapins, comme des guirlandes. Cinq malheureux étaient passés sous le couperet avant que la macabre farandole s'arrête.

– Ton grand-père était le Boucher ! s'exclama Marco.

– Pas mon grand-père. La bête qu'il y avait dans son rêve.

Et Stéphane de continuer son histoire.

« Évidemment, je n'ai pas voulu le croire.

« – Si c'est héréditaire, comment ça se fait que je n'ai jamais rêvé ça ? lui ai-je demandé.

« – Le cauchemar ne se déclenchera qu'à ma mort, comme ça m'est arrivé quand ton arrière-grand-père est décédé. Pour mettre fin à la malédiction, j'aurais dû ne pas avoir d'enfants. Seulement voilà, je suis tombé amoureux de ta grand-mère et elle en voulait absolument un. Quand j'ai appris que ta mère était tombée enceinte elle aussi et qu'il s'agissait d'un garçon, j'ai su que la malédiction durerait encore au moins une génération.

« – Euh… la chose… le monstre… il a tué depuis que tu fais le cauchemar ?

« – Juste une fois. Mon père m'avait bien prévenu pourtant. Mais je ne l'ai pas écouté. Une nuit, j'ai regardé derrière moi. J'ai juste eu le temps d'apercevoir de la fourrure et un couteau aussi long qu'un sabre. L'instant d'après, j'étais mort. Quand je me suis levé au matin, on ne parlait que de ça à la radio : durant la nuit, une femme qui rentrait chez elle avait été éventrée par un maniaque qui avait suspendu ses intestins à un arbre. Je n'ai jamais recommencé. »

– S'il n'a jamais recommencé, pourquoi les journaux ont parlé de cinq victimes ? protesta Jeff.

– Ça, c'était en décembre. La femme dont je vous parle est morte il y a beaucoup plus longtemps. Ma mère n'était pas encore née à l'époque.

« Le Boucher de Noël venait de commettre son premier meurtre quand je suis retourné voir mon grand-père. Un journal était grand ouvert sur son lit, à la page où on relatait l'affaire. Tout de suite, il m'a dit :

« – Ils m'ont donné un somnifère.

« Par "ils", j'ai compris qu'il voulait parler des médecins.

« – Pourquoi ?

« – Parce que je dérange, j'empêche les autres de dormir. Quand je rêve, je crie. Ça t'arrivera aussi. On ne peut pas s'en empêcher. T'as beau avoir des nerfs d'acier, quand le monstre te souffle dans la nuque, tu paniques. Ta grand-mère se mettait des boules de cire dans les oreilles. Je me réveillais après être sorti par la fenêtre dans mon rêve puis je me recouchais et je finissais paisiblement la nuit. Mais ici, c'est pas pareil. Les convalescents se plaignent que je les réveille. Alors, le soir, on me refile un somnifère. Au début, je cachais la pilule sous ma langue puis je la recrachais, mais ils ont vite compris le stratagème. Maintenant, ils mêlent la drogue à la nourriture.

« – C'est quoi le problème ?

« – Tu n'as pas compris. Traverser la fenêtre dans le rêve n'est qu'une partie de la solution. Pour stopper le monstre, il faut aussi se réveiller. Quand on me donne un somnifère, je n'y arrive pas. Le meurtrier me suit dehors et finit par me rattraper. La fenêtre n'est qu'une balise. C'est elle qui signale au cerveau que j'ai assez dormi.

« Trois victimes ont suivi. Après chacune, mon grand-père déprimait un peu plus. À la quatrième, son attitude a changé. Son regard s'est durci. Je n'avais plus quelqu'un d'effrayé devant moi, mais quelqu'un de déterminé.

« – Puisqu'ils veulent que je prenne des somnifères, il m'a dit, je vais en prendre. Stéphane, tu trouveras ça dur au début, mais tu t'y feras. N'oublie pas, le principal c'est de franchir la fenêtre. Promets-moi que tu ne baisseras jamais les bras. Pas à moins d'y être forcé, comme moi.

« Je n'ai saisi ce qu'il voulait dire que quand on l'a retrouvé mort dans son lit, le lendemain. Il avait avalé une poignée de somnifères. Ceux qu'il avait recrachés et cachés, juste au cas. Savoir que d'autres perdaient la vie par sa faute lui était insupportable.

« Le même soir, c'est moi qui faisais le cauchemar.

« Je ne vous mens pas. Quand je me suis retrouvé dans cette chambre et que j'ai entendu les grelots, j'avais tellement la *chienne* que j'ai failli chier dans mes culottes.

« Tout s'est passé exactement comme mon grand-père l'avait décrit : les pas dans l'escalier, la porte qui s'ouvre dans mon dos et moi qui reste cloué au plancher, les jambes lourdes comme du plomb. Tenez, rien que d'en parler, j'en ai la chair de poule. Heureusement, j'ai toujours réussi à me réveiller avant que la bête m'attrape. Alors, si je crie, la nuit, ne vous en faites pas. Du moins, tant que je me réveille. »

– Minute ! Le Boucher en a tué cinq. Le dernier, c'était en janvier, je m'en rappelle, a déclaré Jeff. Ton grand-père est pas mort en décembre ?

– Si.
– Comment ça se peut ?
Stéphane baissa la tête avant de répondre :
– Moi aussi, j'ai voulu voir.

Cette nuit-là, Marco ne dormit pas. Stéphane avait raconté son histoire avec tant de conviction qu'il n'avait pu faire autrement que d'y croire. À présent, il veillait dans le noir, suivant la respiration paisible de son ami.

Quand elle se fit laborieuse, son cœur accéléra la cadence.

– Attention ! le monstre va sortir.

– *Shit* ! T'as failli me donner une crise cardiaque.

Jeff rit.

– Dis-moi pas que tu l'as cru. Tout ça c'est de la blague.

Marco haussa les épaules.

Ils regardèrent en silence Stéphane s'agiter de plus en plus. La sueur perlait sur son front. Visiblement, un sacré cauchemar perturbait son sommeil.

Marco était si subjugué qu'il sursauta quand Jeff lui tapa l'épaule.

– T'as entendu ?
– Quoi ?
– Écoute.

Cœur battant, Marco tendit l'oreille. D'abord, il ne perçut que le bruissement du vent dans les feuilles puis vint un bruit de clochettes... ou de grelots.

– Tu crois que...

– Mais non, idiot. Ce que tu peux être crédule. Sa mère est folle des carillons éoliens. Elle en a accroché partout, dehors.

– T'es sûr ? Peut-être qu'on devrait le réveiller quand même.

– Attendons. Il a dit qu'il y arrivait tout seul.

Les gémissements de Stéphane s'amplifièrent, comme la nuit précédente. Marco se mit à transpirer lui aussi. La frousse lui nouait les tripes. Puis Stéphane se réveilla en poussant un cri. Les cheveux de Marco s'en dressèrent sur sa tête.

– Ça... ça va ? demanda-t-il à leur copain.

– J'ai cru que j'allais y passer. Je ne sais pas pourquoi, la fenêtre refusait de s'ouvrir. Ça n'est jamais arrivé avant. Mais vous pouvez dormir tranquilles à présent. Le danger est écarté.

Et il se recoucha, imité illico par Jeff.

Si les deux se rendormirent aisément, Marco, lui, passa une nuit blanche. Impossible de penser à autre chose qu'au tueur qui hantait les méandres du cerveau de Stéphane et n'attendait que l'occasion d'en sortir pour dépecer d'innocentes victimes. Il aurait préféré se trouver n'importe où plutôt que dans ce chalet perdu au fond des bois où un psychopathe risquait de surgir du néant pour l'étriper sitôt la nuit tombée.

Le lendemain se déroula à peu près de la même façon. Et le surlendemain.

Marco restait éveillé, incapable de fermer l'œil, suivant avec angoisse la progression du cauchemar sur les paupières closes de Stéphane jusqu'à ce que celui-ci se dresse sur son sac de couchage tel un diable sortant de sa boîte. Il avait beau s'y être préparé, chaque fois son cœur bondissait dans sa poitrine. Ensuite, il continuait de veiller dans le noir, l'esprit peuplé des plus folles et sanguinaires images.

La fatigue commença à exercer son tribut.

Marco se fit plus nerveux. Plus irritable aussi. Le jour, il somnolait, quand il ne piquait pas carrément du nez. Il ne tenait qu'à grandes rasades de café noir.

Arriva le quatrième jour.

Cette nuit-là, Stéphane s'agita, Stéphane cria, mais Stéphane ne se réveilla pas.

Puis vint le bruit.

Jeff avait dû s'habituer aux cris, car il dormait dur. N'y tenant plus, Marco le secoua.

– Jeff, réveille-toi.

– Qu'est-ce qu'il y a encore ?

– Écoute ?

– Quoi ?

– Là ! Le bruit.

– Tu sais bien que la mère de Stéphane a accroché des carillons partout.

– Non, c'est pas pareil. On dirait des grelots.

– Des grelots ?

– Oui. Et ça vient d'en bas, pas de l'extérieur. Cette fois, c'est lui. J'en suis sûr.

– Pourquoi tu dis ça ?

– Stéphane ne s'est pas réveillé.

Sa voix chevrotait.

– Ouais, je sais, répondit Jeff. Je lui ai refilé un somnifère.

– Quoi ! ?

– Faut que je dorme si je veux être en forme pour les exams. J'en avais marre qu'il me réveille. Alors j'ai fait fondre un somnifère de ma mère dans son verre. Avoir su, j'en aurais mis un dans le tien aussi.

– T'es complètement fou. On va se faire tuer par le monstre.

– C'est toi qui débloques. Tu vois pas qu'il a tout inventé pour nous faire peur ? Un cauchemar héréditaire ! Un psychopathe qui sort de ta tête pour assassiner les gens ! Même un gamin de quatre ans y croirait pas. Recouche-toi et laisse-moi dormir.

Mais Marco ne voulait rien savoir.

– Il faut le réveiller, Jeff. Il faut réveiller Stéphane avant qu'il soit trop tard.

– Ça me surprendrait que tu y arrives. Le cachet est vachement puissant, mais si ça te rassure, je vais aller en bas voir si le tueur est pas en train de se faire un sandwich.

Marco regarda Jeff sortir de la chambre, incrédule. Lui n'aurait jamais osé. Il suivit les pas de son copain qui descendait l'escalier en criant, bravache :

– Youhou, monsieur le Boucher, vous êtes là ?

Puis il n'y eut plus rien.

Que le silence. Un silence à couper au couteau. Au couteau de boucher.

N'y tenant plus, Marco se rendit à la porte.

– Jeff ? Qu'est-ce que tu fabriques ? *Niaise* pas. Réponds, bon Dieu !

Au lieu de la voix moqueuse de son ami, Marco entendit un bruit bien net. Cette fois pas de doute, c'étaient des grelots. Puis une marche craqua, comme si une masse énorme venait de s'écraser dessus.

Marco faillit s'évanouir.

Le tueur ! Il avait eu Jeff. À présent, ç'a allait être son tour.

Pris de panique, il alla jusqu'à Stéphane et le secoua de toutes ses forces.

– Stef, réveille-toi. Réveille-toi.

Le corps ballottait mollement sous ses efforts répétés. Jeff avait raison, le soporifique était trop fort. Stéphane ne se réveillerait que trop tard.

Le bruit de grelots grossit, tandis qu'une autre marche grinçait.

Proche de l'hystérie, Marco courut à la fenêtre, se cassa un ongle en essayant de l'ouvrir. Quelque chose la bloquait. *Comme dans le cauchemar de Stéphane !* Nouveau coup de grelots, nouvelle marche qui gémissait. Il ne pouvait quand même pas rester là sans rien faire.

Il chercha autour de lui de quoi se défendre.

Stéphane avait du mal à ne pas rire. Faisant toujours semblant de dormir, il entendit Marco tourner en rond tel un animal pris au piège. Il imaginait Jeff, grimpant lentement l'escalier vêtu de la peau d'ours qu'ils avaient dénichée dans un placard et agitant la clochette qu'on mettait au collier du chien avant de le laisser sortir, pour éloigner les bêtes sauvages. Marco devait être mort de peur. Quand Jeff ouvrirait la porte et lèverait le couteau récupéré dans la cuisine, sûr qu'il tomberait dans les pommes.

Il attendit, immobile, le dénouement du canular.

On n'entendait plus Marco à présent. Sans doute se terrait-il dans un coin, tremblant de tous ses membres. Quelle rigolade ! Seuls les bruits du grelot et des pieds de Jeff heurtant lourdement les marches parvenaient jusqu'à lui.

Ensuite vint celui de la porte qui s'ouvrait.

On en était à la conclusion. Dans un instant, Jeff s'esclafferait, mettant fin à une blague savamment élaborée.

Il y eut une succession de coups et un râle terrible. Jeff mettait vraiment le paquet.

Puis des éclats de rire fusèrent.

Mais ce n'était pas la voix de Jeff.

Stéphane se dressa d'un bond, trouva l'interrupteur et alluma.

Une masse bloquait l'entrée. A priori, on aurait dit une bête si ce n'était que, de la pelisse, émergeait une tête humaine. Une tête ou plutôt ce qui en restait. Car du crâne fracassé s'échappait une bouillie grisâtre mêlée de sang. Marco lui montra la lourde barre de métal qu'il tenait à la main.

– Je l'ai eu, Stéphane ! Le Boucher ne t'embêtera plus. Je l'ai eu !

Amnésie dans l'espace

par

Stéphanie Paquin

La nuit, les vampires nous guettent dans les ruelles mal éclairées. La nuit, des humains se transforment en loups à la pleine lune. La nuit, les revenants rôdent dans nos quartiers. La nuit, les soucoupes volantes frôlent notre voiture lorsque la route est déserte.

Enfin, dans l'espace où la nuit est éternelle, on se réveille à bord d'un vaisseau spatial, très loin de toute planète habitée, ignorant qui l'on est et la raison pour laquelle on est là…

Bonne lecture mes amis(es) !

Stéphanie

P.-S. : Vous pouvez m'écrire si ça vous chante.
paquin88@hotmail.com

ÉTENDUE sur le dos, Azila ouvre lentement un œil, puis l'autre. Elle est enfermée dans une sorte de cocon artificiel d'un gris sombre. Peu à peu, elle a l'impression que des aiguilles sont retirées de son épiderme. Puis, des ventouses collantes s'arrachent de sa peau. L'adolescente réalise qu'elle est en hibernation et que le processus de réanimation a été enclenché. Elle ne se rappelle pas pourquoi elle a été plongée dans un coma artificiel. Azila en déduit qu'elle est, soit dans un abri à l'épreuve d'armes ennemies, soit à bord d'un vaisseau qui doit franchir plusieurs années-lumière pour se rendre à destination. Si la première hypothèse est la bonne, cela signifie-t-il que sa planète est en guerre ? Si la deuxième hypothèse était exacte, que ferait-elle à bord d'un transporteur interstellaire ? Azila se rend compte qu'elle a perdu une partie de sa mémoire pendant son sommeil prolongé. Cela lui semble anormal dans ce futur où ce problème a été réglé depuis fort longtemps.

Un peu en colère, elle doit attendre le retour progressif de ses sens. Soudain, l'habitacle qui l'empêchait de se redresser s'ouvre. Elle pose ses coudes sur le lit. Les terribles vertiges qui l'assaillent se résorbent au bout de quinze minutes. Azila essaie de balayer les lieux du regard. Autour d'elle, une vingtaine de personnes reposent dans des lits identiques au sien. Tous les habitacles d'hibernation ont été retirés. Certains voyageurs sont encore couchés, étourdis par le processus de réanimation, d'autres sont assis, l'air un peu perdu.

Azila se risque enfin à poser les pieds au sol. Ses orteils nus se recroquevillent tant le plancher métallique est glacial. Des frissons parcourent son corps. Où trouver des vêtements chauds ? Elle ne met pas longtemps à en dénicher à sa taille dans un compartiment logé sous son propre lit. Azila se débarrasse alors de la tenue d'hibernation et, derrière un paravent à l'abri des regards, elle enfile des sous-vêtements gris, des pantalons noirs et une chemise souple bleu acier garnie d'un collet étroit. Sur sa veste, on a inscrit : Azila Cèlivéra. C'est bien son nom. Elle s'en souvient à présent. C'est toujours cela de gagné. Mais, ô stupeur, sous son nom, en lettres dorées est écrit : Capitaine du *Drakkis 18*. L'adolescente se rappelle que le mot Drakkis est utilisé sur sa planète pour désigner les vaisseaux de guerre. Elle se rappelle aussi qu'elle n'a que seize ans. Comment se pourrait-il qu'elle soit déjà capitaine d'un vaisseau de guerre à son âge ? Ce titre est accordé aux hommes de plus de quarante ans. Pendant qu'elle réfléchit à cette question, elle prend soudainement conscience d'une vibration constante qui secoue le sol et les murs. En marchant un peu pour explorer les lieux, la jeune fille s'approche de l'unique hublot de la pièce et aperçoit une noirceur sidérale entrecoupée de petits points lumineux. Elle réalise qu'ils sont bel et bien à bord d'un vaisseau naviguant dans l'espace. Maintenant, Azila peut écarter la thèse de l'abri. Elle écrase son nez contre le hublot afin d'observer le type de vaisseau qui les transporte. Il semble si immense que l'adolescente croit avoir des visions causées par l'hibernation. Elle recule, se frotte les yeux et tente une nouvelle fois d'analyser le vaisseau. Hélas, le hublot a disparu. Un écran de sécurité est venu obstruer la petite fenêtre. L'adolescente murmure quelques jurons et tourne le dos.

En revenant sur ses pas, elle constate que tous les voyageurs présents sont plus âgés qu'elle. Azila repense au grade inscrit sur sa veste et suppose qu'il s'agit d'une erreur ou d'une plaisanterie. N'ayant guère le choix, la jeune fille se décide à s'entretenir avec l'un d'entre eux pour éclaircir ces mystères. Elle se dirige vers le seul passager debout, un homme assez robuste aux cheveux foncés et aux traits marqués. Il doit être dans la fin quarantaine. L'adolescente est déçue d'apprendre qu'il ignore lui aussi pourquoi il est là. Il sait cependant qu'il est un spécialiste de la médecine spatiale.

– Vous voilà plus avancé que moi, docteur. Je ne sais même pas quelle fonction je pourrais occuper dans ce vaisseau. Je n'ai que seize ans.

– Vous avez le grade de capitaine sur votre veston ! s'étonne-t-il en lisant l'inscription de la veste. Est-ce bien à vous, ce vêtement ?

– Je crois que oui. Mon nom y est inscrit et le veston semble avoir été fait selon mes mensurations.

– Je n'ai jamais vu un capitaine de votre âge ! affirme-t-il, songeur. Vous devez avoir des talents exceptionnels.

– J'en doute ! Ceci doit être une drôle de farce. Je suis probablement une préposée au balai ou quelque chose de ce genre.

– Peut-être pas ! avoue-t-il après une longue réflexion en l'examinant de haut en bas. Je suis certain que vous êtes une mutante. Savez-vous que votre espèce apprend plus vite que les humains normaux et que vous avez des facultés de combats étonnantes.

– Qu'est-ce que vous racontez là ? s'offense Azila. Je suis un être humain, pas un de ces satanés mutants. Êtes-vous sûr d'être réveillé ?

Le médecin maugrée et pousse subitement la jeune fille devant un miroir derrière un rideau. Les yeux d'Azila s'agrandissent comme des lunes. Le médecin la décrit en s'adressant à elle.

– Votre taille est plus élevée que celle des jeunes de votre âge. Regardez vos muscles de lutteurs ! Observez vos yeux, ils sont d'un orange profond avec une pupille verticale, caractéristique des mutants et de certains prédateurs nocturnes. Convaincue ? ajoute le médecin.

– Ai-je le choix ? répond la mutante d'un ton mélancolique, attristée par son image.

Azila est soudainement absorbée par le souvenir du visage agréable d'un jeune homme qu'elle a aimé autrefois. Il avait les yeux verts comme des émeraudes avec des pupilles rondes. Ce n'était pas un mutant. Elle se rappelle l'avoir embrassé pour la première fois. Puis, immédiatement après, elle le voit suffoquer, étendu au sol. Il ne peut plus respirer. Il est sauvé de justesse par des réanimateurs d'urgence. Azila est envahie par une forte vague de culpabilité. Elle continue à penser au jeune homme. Elle le revoit dans un lit médical. Elle tente de s'approcher pour le réconforter, mais il la repousse du revers de la main et lui demande de s'en aller. Il ne voulait plus la revoir.

– Oui, je me rappelle à présent, souffle-t-elle en proie à une vague de tristesse, je me souviens maintenant – j'ai découvert récemment que je ne peux embrasser aucun humain : ma salive est empoisonnée !

– Oh ! Vous faites sans doute partie des descendants directs de la race des mutants, créée en secret par les scientifiques géniaux et malveillants d'une station spatiale qui évolue non loin de la constellation du Crabe. Vous êtes une espèce redoutable. Heureusement, vous n'êtes pas très nombreux !

– Je suppose que c'est mieux ainsi, murmure-t-elle, amère.

Après un bref silence, Azila oublie ses ennuis afin de se concentrer sur des problèmes plus urgents.

– Nous devrions peut-être trouver la raison pour laquelle nous sommes dans ce vaisseau, suggère l'adolescente.

– Vérifions d'abord si tout le monde va bien. Ensuite, nous irons consulter l'ordinateur de bord. Nous saurons à ce moment si vous êtes réellement le capitaine de ce transporteur.

– Entendu. Au fait, quel est votre nom ?

– Mérak Isnav.

– Enchanté, docteur Isnav.

– Tout le plaisir est pour moi, Capitaine.

– Nous verrons pour ce titre plus tard, répond Azila d'un ton sceptique.

Les deux passagers font le tour des lits, un à un. Plusieurs voyageurs font des exercices doux pour enlever les courbatures du long sommeil forcé, d'autres sont toujours couchés, encore assommés par des doses massives de médicaments. Mérak et Azila aident à réveiller ceux qui sont restés dans le cirage.

Lorsque tout le monde est sur pied et réuni au centre de la pièce, Azila constate qu'il y a trois femmes à bord. L'une est pilote du transporteur stellaire, l'autre ingénieure spécialisée en propulsion spatiale, et la dernière, astronome. Les hommes sont au nombre de dix-neuf. Il y a plusieurs jeunes techniciens, deux médecins, un responsable de l'équipement, quatre spécialistes de combat, cinq pilotes de chasse et un capitaine en second nommé Grennte. Tous sont en bonne santé, seule leur mémoire fait défaut. Ils ne savent plus pourquoi ils sont là et quel est le but de cette expédition. Azila est la plus affectée par l'amnésie. Elle ne connaît toujours pas son poste. Lorsqu'on l'interroge à ce sujet, la mutante leur recommande de lire ce qui est inscrit sur son blouson. Plusieurs techniciens éclatent de rire. Malgré une stature imposante pour son âge, les traits de son visage ne lui donnent guère plus de seize ans, en effet.

– Elle est bonne celle-là, une gamine mutante comme capitaine ! s'esclaffe Grennte, qui se joint au fou rire des techniciens. Quels sont les ordres, Capitaine ? Doit-on aller vous chercher une glace à la vanille ?

– Ce n'est pas le moment de plaisanter, déclare sèchement Iriana, l'astronome. Il serait primordial de savoir qui est réellement le capitaine de ce croiseur !

– Il est bien possible que ce soit Azila ! déclare Mérak, le médecin. C'est une mutante à la salive empoisonnée. Elle descend donc de la lignée créée dans la station spatiale, proche de la constellation du Crabe. Une espère rare, hors du commun.

– Cette fille est donc de la lignée de ces monstres ! crie Grennte. Jamais je ne lui ferai confiance, même pour passer le balai.

– Nous non plus ! répondent aussi quelques hommes.

Azila, silencieuse, prend de bonnes respirations pour rester calme. Mérak reprend la parole pour clore la discussion.

– Allons consulter l'ordinateur de bord et prenons contact avec ceux qui nous ont envoyés ici, suggère-t-il, on saura enfin que ce qu'on fiche là. Si nos supérieurs déclarent qu'Azila est notre capitaine, vous n'aurez d'autres choix que de vous rallier, sinon, ceci sera considéré comme une mutinerie, ajoute-t-il à l'intention des réfractaires. En attendant, Grennte, vous êtes aux commandes.

– Bien ! répond celui-ci en lançant un regard méprisant en direction de la mutante.

Les membres de l'équipage longent les interminables corridors en espérant trouver le centre de commandes. Derrière la première entrée qu'ils rencontrent, ils découvrent un vaste entrepôt de nourriture. Voilà qui les rassure. En ouvrant la deuxième porte, ils réalisent qu'ils sont dans une salle d'opération. Ils souhaitent ne jamais aboutir ici. En poursuivant leur route, ils croisent des hublots qui leur permettent enfin d'observer la forme et la dimension du vaisseau. Ils sont très surpris de constater que le transporteur stellaire semble ne pas avoir de fin. Azila est soulagée. Elle n'a pas eu de vision. Le vaisseau est bel et bien gigantesque.

– À vue de nez, dit la pilote, il fait 500 kilomètres de long et 100 kilomètres de large. Je ne me souviens pas d'avoir vu un transporteur aussi vaste.

– Pourquoi est-il si immense ? interroge un technicien.

L'homme dans la trentaine obtient pour toute réponse un silence éloquent. Voilà encore une autre énigme à résoudre. Les membres de l'équipage se remettent en marche. Au bout de deux heures, ils découvrent le poste de commande situé à l'avant du vaisseau, à l'étage supérieur.

– Heureusement que la salle de commande est proche de la salle de réanimation ! soupire Mérak.

Dès qu'ils posent les pieds dans la pièce, l'ordinateur de bord prend la parole. Il vient d'être activé grâce au détecteur de mouvement.

– Bienvenue à bord du *Drakkis 18*, déclare une voix masculine et monocorde. J'espère que vous avez eu un long sommeil agréable. Je me nomme Jissnar et suis à votre entière disposition.

– Jissnar, nous avons des questions à te poser. Nous souffrons tous d'amnésie partielle due à l'hibernation, déclare un homme rond aux cheveux clairsemés.

– Je n'ai pourtant pas eu d'alarme signalant le moindre problème.

– Nous verrons ceci plus tard, coupe la femme pilote, pourquoi sommes-nous sur ce vaisseau de guerre ?

– Le *Drakkis 18* transporte une précieuse cargaison destinée à des fins militaires. Nous devons la livrer impérativement.

– Où ?

– Je l'ignore, il n'est pas inscrit dans mon programme. La seule chose dont je dispose est la route présente à suivre.

– Peut-on contacter par radio ceux qui nous ont envoyés ?

– Non, ma radio a été très endommagée par les attaques subies tout au long du voyage. Je peux tout de même recevoir des messages, mais pas en envoyer.

– Voilà qui n'est pas très pratique ! ronchonne Grennte. Peut-on la réparer ?

– Hélas, c'est impossible. J'ai déjà tout essayé.

– Bon, passons à autre chose, coupe Iriana, impatientée par les propos de Jissnar, si nous poursuivons notre trajectoire, dans quelle direction allons-nous ?

– Vers une supernova.

– J'espère que ce n'est pas notre destination finale ! s'époumone l'astronome, le regard affolé.

– Ne vous en faites pas, je vais avoir d'autres instructions pour corriger le cap. Vous saurez à ce moment qui vous a envoyés dans cette expédition, déclare Jissnar. En attendant, je suis dans l'obligation de poursuivre la route inscrite dans mon programme.

– Revenons à notre cargaison. Que transporte-t-on de si précieux ? demande Mérak.

– Je l'ignore. Je sais cependant qu'elle n'occupe qu'une partie du vaisseau ; soit trente kilomètres de diamètre. Ce qui prend autant d'espace, ce sont les structures qui protègent l'arme. Des murs et des murs de sécurité nous séparent de cette chose. Notre cargaison est enfermée dans des matériaux qui me sont inconnus. Tout ce que je sais, c'est que ces enveloppes de cargaison ont pris des milliers d'années à construire, spécialement la première couche...

L'équipage est plus que perplexe.

– Le croiseur transporte-t-il une matière si dangereuse ? questionne Grennte.

– Je l'ignore.

– Bon sang, que sais-tu donc, grossier ordinateur ? vocifère le capitaine adjoint.

– Que toutes nos montres retardent depuis le départ.

– Tiens, c'est vrai, marmonnent quelques-uns en regardant leur bracelet.

– On s'en fiche de nos montres ! explose Grennte.

– Capitaine en second, je m'excuse de vous froisser en ne pouvant répondre à toutes vos questions.

– Jissnar, quelle est ma fonction dans ce vaisseau ? coupe soudainement Azila, qui meurt d'envie de savoir ce qu'elle fiche là.

– Vous êtes la capitaine de ce transporteur.

– Quoi ? s'écrient Grennte et quelques autres. C'est impossible !

– Pourquoi ? questionne Azila, désemparée. Je suis bien trop jeune pour être capitaine, même si je suis une mutante d'une race à part.

– La réponse à votre question viendra très bientôt. Mes radars me signalent qu'un groupe d'aéronefs est en vue, déjà prêts à tirer sur nous. Ils viennent tout juste de m'envoyer un code violet avec un octogone blanc, ce qui signifie…

– … qu'ils ne veulent pas discuter, mais simplement nous anéantir, affirme Azila.

Son regard se transforme soudainement. Avec les yeux d'un prédateur, elle évalue rapidement la situation, comme un capitaine d'aéronef.

Pendant un moment, l'équipage reste figé sur place. Un tir lointain a atteint la partie inférieure du vaisseau, secoué de toutes parts.

– Jissnar, avons-nous des armes pour nous défendre à bord de ce vaisseau ? questionne précipitamment Azila.

– Je crains qu'elles ne fonctionnent plus. Elles ont été détruites par une attaque précédente. Je ne vous avais pas réveillés. J'avais la consigne de me débrouiller par moi-même si je croyais qu'il était possible de le faire seul.

– Avons-nous alors des vaisseaux de combat ? s'impatiente la jeune fille.

– Oui, et le vôtre est ici, Capitaine. Je vais éclairer le chemin à suivre pour vous y rendre.

– Parfait, nous avons assez perdu de temps, venez, ordonne-t-elle aux pilotes de chasse, d'un ton impérieux qui la surprend elle-même.

Guidée par Jissnar, Azila se rend au pas de course au hangar. Elle est suivie de loin par les autres pilotes qui ont du mal à la rattraper. Une fois rendus, la jeune fille et les autres pilotes se dirigent vers un groupe d'aéronefs. Azila aperçoit, au fond de la pièce, un petit vaisseau bleu foncé de forme aérodynamique et élancée. De longues égratignures en parcourent les flancs jusqu'aux ailes. La mutante reconnaît son aéronef. Elle se donne un élan et effectue un saut de huit mètres de haut, sans effort.

Les moteurs s'allument automatiquement à la seconde où les pilotes s'installent dans leur siège de commande. Un tir de missiles provenant de l'extérieur fait vibrer les aéronefs. Azila se dépêche à ajuster son casque et prend contact avec les autres pilotes. Lorsqu'ils sont tous prêts à décoller, la jeune fille donne le signal de départ. Jissnar ouvre les cloisons. Les vaisseaux s'élancent dans le ciel noir de l'espace. Ils sont aussitôt attaqués par les aéronefs ennemis, pilotés par des androïdes. Les vaisseaux de défense du *Drakkis 18* se déploient dans tous les sens. Azila fait monter son aéronef à la verticale, puis effectue une loupe. La tête en bas, la jeune fille tire sur un vaisseau ennemi qui ne s'attendait pas à cette manœuvre. Il est atteint droit au cœur des moteurs et explose en milliers de morceaux. Azila évite de passer dans les débris et fait un crochet par la gauche. Instinctivement, elle effectue ensuite une vrille étourdissante pour éviter les missiles ennemis et se retrouve face à face avec un autre aéronef ennemi. Elle tire plus vite que lui. Il explose avant l'éventuelle collision. La mutante retourne ensuite près du *Drakkis 18* afin de le protéger d'un aéronef qui s'apprête à attaquer le centre du transporteur. Elle réussit à atteindre l'aile droite du vaisseau ennemi qui se voit obligé de se retirer du combat. Azila prend en chasse trois vaisseaux en formation et envoie plusieurs missiles dans trois directions différentes en même temps. Deux aéronefs sont atteints et le troisième percute les débris des deux autres. Le reste de la formation prend subitement la fuite. Azila est soulagée. Elle entend à la radio l'un ses pilotes lui déclarer joyeusement :

– Dites donc, Capitaine, vous n'aviez pas besoin de nous. La prochaine fois, nous vous laisserons y aller seule, pendant ce temps, nous siroterons un bon jus frais.

– Bon travail, Capitaine, déclare Grennte par radio. La prochaine fois, ne soyez pas égoïste et laissez donc quelques vaisseaux ennemis pour les autres.

Azila ricane de bon cœur. À présent, ni elle ni personne ne remet en question son grade de capitaine.

– On rentre, les gars. Mettez-vous en formation, ordonne-t-elle d'un ton plus détendu.

– Message bien reçu, répondent les pilotes.

Avant de pénétrer dans le transporteur, Azila voit flotter dans le vide spatial un androïde inerte. Elle le fait cueillir au passage par une main mécanique.

Une fois dans le hangar, les cloisons fermées et l'air revenu, Azila ouvre le sas de son vaisseau et descend avec l'androïde sur son dos.

– Que voulez-vous faire de cette chose ? demande un pilote.

– Je veux savoir si Jissnar peut tirer des informations de sa fiche mémoire. Il y a tant de choses que l'on ignore. Il pourra peut-être nous renseigner.

– Pourquoi nous ont-ils attaqués sans préavis, par exemple ?

– Entre autres !

– Il est lourd, ce tas de ferraille ? questionne un pilote.

– Oui, souffle-t-elle sans ralentir sa marche, le robot sur son épaule.

– Puis-je le transporter pour vous ?

– D'accord !

Sous le poids de la carcasse de métal, le pilote s'écrase lourdement au sol. Azila ramasse aussitôt le robot d'une main et, de l'autre, remet le pilote sur pied.

– Toutes mes excuses ! dit-elle. J'aurais dû savoir que l'androïde est trop lourd pour un humain. Tu t'es fait mal ?

– Non, répond-il sèchement d'un ton orgueilleux en se frottant une épaule.

Les pilotes retournent à la salle des commandes, surpris de voir Azila transporter le robot sans effort. Elle le dépose sur une table de travail et demande à Jissnar de soutirer toutes les informations possibles de la fiche mémoire de l'homme mécanique. L'ordinateur de bord se met au travail. Grâce à des ondes invisibles, Jissnar accède au cerveau de l'androïde. Pendant un moment, un silence total règne dans la pièce. Après vingt-cinq minutes de recherche intensive, l'ordinateur de bord déclare :

– Dans sa carte mémoire, il est inscrit qu'il faut détruire le *Drakkis 18*. Les attaquants ont des preuves que notre vaisseau transporte une arme capable d'anéantir une étoile géante ainsi que toutes les planètes qui gravitent autour d'elle. Bref, il peut détruire un système au complet. Cette arme a été conçue pour combattre le système qui a attaqué le nôtre tout récemment. Si je déchiffre bien sa carte mémoire, notre système solaire est en guerre avec celui de Nérada, qui évolue près de la supernova vers laquelle nous nous dirigeons présentement. D'après mes sources, les habitants de Nérada sont très belliqueux. Notre arme a pour but de mettre fin à ce conflit qui dure depuis des siècles.

– Quelle arme possédons-nous pour détruire tout un système ? s'écrie Mérak, ahuri.

– Je l'ignore ! répond Jissnar d'un ton neutre.

– Nous allons bien voir, maugrée Azila, en se dirigeant vers la sortie.

– Que faites-vous, Capitaine ? demande la femme pilote.

– Je veux voir cette arme de mes propres yeux ! Jissnar, tu vas nous guider vers cette arme absolue !

– Impossible ! Je suis programmé pour être détruit si je vous indique le chemin.

– Il ne manquait plus que ça ! maugrée Azila. Et si nous y allons sans ton aide, as-tu l'obligation de nous anéantir ?

– Oui, je dois vous neutr...

Soudain, la voix de Jissnar s'éteint. Des lumières indiquant qu'il est hors circuit s'allument et clignotent silencieusement. Les voyageurs se regardent, étonnés. Grennte, qui venait de disparaître, ressort d'une cabine adjointe à la salle, l'air amusé. Il tient dans une main un petit cube transparent aux côtés arrondis, le cerveau de Jissnar.

– Nous le rebrancherons plus tard ! susurre-t-il en souriant malicieusement.

– Bonne idée ! s'exclame la capitaine. Et maintenant, je vais préparer mon expédition au centre du vaisseau. J'ai au moins 200 kilomètres à parcourir pour m'y rendre. Je veux savoir ce qu'il y a là.

– J'y vais aussi, déclare Grennte.

– Non, tu restes aux commandes ! ordonne Azila.

– Entendu ! marmonne Grennte, déçu.

– Je vous accompagne ! Vous n'irez pas seule ! déclare Mérak d'un ton sans réplique.

– Moi aussi ! claironne Iriana, l'astronome.

– D'accord, consent Azila, mais les autres, vous resterez ici.

Quelques instants plus tard, Azila, Mérak et Iriana, munis du matériel pour leur expédition, dont un compas hologramme pour les guider, pénètrent dans les corridors qui semblent se diriger vers le centre du vaisseau. Azila entend soudainement un son étrange, une vibration si basse que les humains ne peuvent l'entendre. La capitaine est certaine que c'est un si bémol. Il semble être à 500 notes plus bas que le do central d'un piano, un instrument des temps anciens. Ce bruit est constant. À mesure qu'ils se rapprochent du centre, le bruit s'intensifie. Azila fait part de cette découverte à ses camarades.

– C'est peut-être un bruit de moteur, explique Mérak.

– Non, c'est autre chose ! répond Azila, convaincue, l'oreille attentive.

– Avertissez-nous du moindre changement, dit Iriana, intriguée par ce son qu'elle aurait aimé entendre.

– Certes, je vous le dirai.

Les voyageurs poursuivent leur longue marche. Ils croisent de nombreuses portes automatiques qui s'ouvrent lentement à leur approche. Les trois passagers constatent que Jissnar avait raison : à tous les vingt mètres se trouvent de larges murs qui protègent la mystérieuse cargaison.

Plusieurs jours passent sans incidents lorsqu'ils tombent sur une cloison blindée qui ne s'ouvre pas à leur arrivée. Ils réalisent qu'il faut un code d'accès. Iriana fait plusieurs essais, mais sans succès. Mérak, impatient, écarte les deux voyageuses et utilise son arme à pleine puissance, jusqu'à épuisement de son énergie. Un petit coin de porte cède, une ouverture de quelques centimètres.

– C'est inutile ! Il nous faut faire demi-tour, affirme Mérak, amer.

– Pas tout de suite ! réplique Azila.

La mutante agrippe la petite ouverture de la porte et tire de toutes ses forces. Son cou devient rouge vif. Les muscles de ses bras sont extrêmement tendus. De la sueur coule le long de son dos. Les veines de son front sillonnent la surface de sa peau. Lentement, le métal cède et plie. Azila poursuit sa tâche jusqu'à ce que l'ouverture soit assez large pour y passer. Mérak et Iriana la dévisagent, estomaqués par sa force.

– Ça y est ! affirme la mutante, à bout de souffle. Nous pouvons passer.

– Je ne vous savais pas si forte ! constate Mérak.

– Si je n'arrive pas à ouvrir un pot de confiture, je vous ferai signe ! souffle Iriana, encore surprise par l'exploit de sa capitaine.

La mutante ricane et pousse joyeusement les voyageurs vers l'ouverture. Sa bonne humeur est cependant de courte durée. De l'autre côté, le corridor se sépare en deux. Les voyageurs balaient les lieux du regard. Les deux couloirs vont dans la même direction.

– Lequel allons-nous prendre ? questionne Iriana, embêtée, en se grattant machinalement le front.

– Restez ici et reposez-vous. Je vais parcourir celui de gauche et je reviendrai sur mes pas pour vous dire où il va. Je serais de retour dans… disons trois heures au plus tard.

– Revenez vite, recommandent Mérak et Iriana.

– Promis !

Azila longe le large corridor de gauche au pas de course. Comme il n'y a plus de murs à tous les vingt mètres, elle peut aller plus vite. Au bout d'une heure, elle tombe sur une autre porte qui ne veut pas s'ouvrir. Elle est cependant plus fragile que l'autre et la mutante réussit à la faire tomber à coups de pied. Elle enjambe aussitôt le seuil et aperçoit un très long corridor droit qui bifurque vers la partie extérieure du vaisseau.

– Je me suis fait avoir, râle-t-elle, j'aurais dû prendre le corridor de droite.

La mutante retourne sur ses pas, refranchit la porte que Mérak et elle ont détruite, puis se cogne le nez sur une épaisse porte blindée qui n'était pas là lorsqu'elle est partie. La mutante vocifère des injures avant de l'attaquer avec son fusil et de poursuivre avec ses mains. Quinze minutes suffisent pour en percer le milieu. Épuisée, Azila se faufile au travers de l'ouverture et tombe sur le sol. Ses compagnons l'accueillent avec soulagement.

– Comme je suis heureuse que vous soyez saine et sauve ! affirme Iriana qui lui saute au cou. Nous n'avons pas pu aller à votre recherche, car il y avait cette satanée porte qui a soudainement bloqué le passage peu après votre départ. Nous ignorons comment elle a été activée.

– Un système automatique doit en être responsable. Cette porte m'a donné du fil à retordre. Heureusement que je suis une mutante. Pour ce qui est de venir à mon secours, ce n'était pas nécessaire. Je n'ai été absente que deux heures trente minutes, déclare Azila en consultant son chronomètre. Je vous avais dit que je serais absente au moins trois heures. Je suis même revenue avant le temps. Il n'y avait aucune raison de s'inquiéter.

– Je ne suis pas de cet avis, Capitaine ! Vous n'êtes pas partie deux heures et demie, mais bien soixante-douze heures ! réplique Mérak, en colère, en montrant le bracelet ajusté à son poignet. On vous croyait en danger !

– Ton chronomètre est détraqué ! rouspète la mutante. Je ne suis pas partie si longtemps que ça !

– Capitaine, regardez le mien ! insiste Iriana.

La mutante s'exécute. Il est aussi inscrit soixante-douze heures sur le chronomètre d'Iriana. Azila ne sait que répondre.

– Nous avons attendu ici suffisamment longtemps pour savoir que vous êtes partie tout ce temps. Nous avons encore en mémoire la notion du temps, affirme l'astronome.

– Mais je suis certaine d'être partie deux heures et demie ! claironne la mutante, hors d'elle.

Un sombre silence règne à présent sur les voyageurs. Iriana réfléchit intensément à ces affirmations. Puis, elle pose une question à sa capitaine.

– Est-ce que vous vous êtes rapprochée beaucoup du centre du vaisseau, au moins ?

– Oui ! Plus j'avançais, moins il y avait de murs avec leurs portes qui nous ralentissaient constamment. J'ai couru très vite pendant une heure jusqu'à ce que je tombe sur un corridor qui allait dans la direction opposée. C'est là que j'ai rebroussé chemin.

– Dans ce cas, je suis certaine que le temps ralentit lorsque nous approchons de l'arme inconnue, affirme Iriana. Souvenez-vous que Jissnar nous a dit que nos montres retardent lorsque nous sommes à bord du vaisseau. À mon avis, le temps retarde davantage si l'on est près du centre du vaisseau et donc, de l'arme en question.

– C'est incroyable, mais pas impossible, admet Mérak, le doigt sur l'arcade sourcilière, soucieux.

– Je n'arrive pas à le croire ! souffle Azila, qui se laisse choir sur le sol.

– C'est pourtant ce qui arrive ! dit Iriana, convaincue de sa théorie.

– Quelle arme peut freiner le temps ? interroge Azila.

Iriana hausse les épaules avec les paumes tournées vers le plafond, signe de son impuissance. En même temps, une théorie lui vient en tête, si terrifiante que l'astronome décide de ne pas en parler.

– Nous ne saurons pas de quoi il s'agit en demeurant ici, déclare Azila. Il faut poursuivre notre route. Nous prendrons le corridor de droite cette fois-ci.

Les voyageurs pénètrent dans l'autre couloir. Celui-ci semble relié au centre du transporteur. Il n'y a pas de bifurcation vers l'extérieur. Les passagers sont heureux d'avoir enfin trouvé cette voie. Après deux jours de marche, ils arrivent au bout du couloir. En face d'eux, un ascenseur en apesanteur ainsi qu'une inscription indiquant qu'ils sont à l'étage le plus élevé du vaisseau.

– L'hologramme nous indique que nous sommes presque au centre.

– Nous n'avons pas le choix de descendre à présent, constate Mérak, essayons cet ascenseur.

La capitaine, l'astronome et le médecin se positionnent dans l'octogone lumineux. Lorsque Mérak appuie sur les touches de départ, l'ascenseur fait un petit bruit, puis s'éteint.

– Ça ne fonctionne pas ! peste Iriana.

– Le contraire m'aurait surpris, maugrée Azila, en roulant les yeux vers le plafond.

Prenons l'escalier ! dit-elle en sortant de l'étroite cage.

Déçus, les passagers empruntent un escalier en colimaçon qui semble descendre pendant une éternité. Azila n'en voit pas la fin. Mérak non plus. Iriana a le vertige juste à le regarder : se cramponnant à la rampe, elle pose ses pieds sur les marches métalliques, les yeux fermés, et amorce la descente avec peu d'enthousiasme. Mérak lui porte assistance. Pendant ce temps, Azila a pris de l'avance. Le son grave qu'elle entend toujours devient de plus en plus intense.

– Nous sommes sur la bonne voie ! affirme-t-elle, extrêmement nerveuse.

Pendant des heures et des heures, ils tournoient au gré des marches, ne sachant quand ils devront s'arrêter. Au bout d'un interminable moment, ils arrivent au pied de l'escalier. Iriana et Mérak sont étourdis et ont les genoux douloureux. La mutante, elle, ne ressent rien de tout cela. Sauf au réveil et quelques heures après une hibernation, Azila est insensible aux vertiges et ses genoux sont beaucoup plus solides que ceux des humains.

– Voulez-vous vous reposer ? questionne la capitaine, inquiète de leur état.

– Non, ça ira, répondent les deux autres en frottant leurs jambes.

– Si vous avez trop mal, je peux vous porter ! affirme la mutante avec sollicitude.

– Pas question ! Je ne suis pas un infirme et de plus, j'ai ma fierté, la rabroue le médecin.

– Voilà une fierté mal placée, docteur ! lance Iriana. Moi, je vous ferai signe si j'ai trop mal pour marcher.

– Très bien, continuons ! ordonne Azila. Un autre long corridor nous attend.

En empruntant ce couloir, ils éprouvent une sensation très étrange, comme si une gigantesque main invisible étirait leurs corps pour les faire grandir de quelques centimètres.

– Vous ressentez cela ? s'exclame Iriana, très étonnée.

– Oui, admet Mérak, c'est extrêmement désagréable.

– De plus, ajoute Azila, le son est devenu envahissant. Nous touchons certainement notre but, dit-elle en pointant au loin une porte en forme d'octogone qui bloque le passage.

Contrairement à ce qu'ils croyaient, la porte s'ouvre toute seule à leur arrivée. Azila passe prudemment la première. La mutante est suivie de près par les deux autres. Ils sont à présent sur une passerelle suspendue. En dessous d'eux, ils aperçoivent une immense couverture ovale de gélatine verte qui bouge en un mouvement désordonné. Azila grimace et pose ses mains sur ses oreilles.

– Ça va ? demande Mérak.

– Je ne pourrai rester ici très longtemps sans devenir folle, le son est harassant. Je suis certaine qu'il provient de ce qui est caché par la masse verte.

– Si je pouvais l'entendre ! peste Mérak, je pourrais peut-être deviner ce qu'il y a là.

– Moi aussi ! ajoute Iriana. Je suis sceptique. Je trouve surprenant à présent que cette immonde chose puisse être une arme fatale.

– Il faudrait savoir ce qu'il y a en dessous de ça ! répond Mérak en pointant l'affreuse masse gélatineuse. Reste à savoir si c'est dangereux. À première vue, elle semble inoffensive.

– Attendez, je crois que mes yeux de mutants pourraient lire à travers cette masse verdâtre. J'ai besoin d'une grande concentration ! s'exclame Azila.

– Allez-y ! disent les deux autres, les yeux grands comme des médailles, la bouche entrouverte.

La mutante canalise toute son énergie. Ses yeux changent subitement de couleur, passant de l'orange à un bleu très intense, ses pupilles ont disparu, signe qu'elle va utiliser un autre type de vision pour regarder à travers la couche visqueuse. Tout à coup, Azila aperçoit une immense spirale noire. L'espace-temps vibre autour de ce monstre qui tourne sur lui-même à la vitesse de la lumière. Son centre est un gigantesque gouffre qui courbe l'espace. Azila réalise que c'est bel et bien l'arme en question. C'est un malaxeur chaotique qui peut séparer toutes les particules, avaler tout ce qui est près de lui. Si l'étrange couche gélatineuse qui le retient cédait, le vaisseau serait englouti en une fraction de seconde. La mutante comprend tout à présent : le son grave inaudible aux humains, le temps qui retarde, la sensation d'étirement…

Une subite angoisse la submerge. Elle pousse un cri d'effroi et s'effondre sur le treillis métallique de la passerelle. Mérak se précipite vers elle. La jeune femme est en état de choc. Ses yeux sont redevenus orange, ses pupilles à la verticale. De la sueur coule abondamment le long de ses tempes. Sa respiration est irrégulière et elle tremble comme une feuille au grand vent. Mérak pose ses mains sur son visage et lui parle doucement. La capitaine arrive à se calmer suffisamment pour raconter ce qu'elle a vu, ce qui l'a tant effrayée. Elle déclare d'une voix alarmée :

– Nous transportons un trou noir !

Miss Micro

par

Édith Bourget

Petite, je me souviens que je tremblais de peur en pensant à Dracula. Il trouverait comment entrer dans ma chambre. Il boirait mon sang. Je ne voulais pas devenir un vampire.

Les films de vampire m'amusent aujourd'hui. Ce qui ne m'amuse pas, c'est de savoir que l'horreur n'est pas toujours une fiction. Quand j'écoute les informations et que je vois des images violentes, cela me bouleverse. L'horreur, c'est de voir à la télé que l'on tire vraiment sur des gens, qu'un homme tue sa famille. C'est voir des mouches se promener sur des visages d'enfants rachitiques. Et de me sentir impuissante.

Je ne peux pas changer les choses à l'autre bout du monde. Je peux cependant tenter de changer les choses autour de moi. Un sourire engendre un sourire…

– **JEANNE ! Est-ce qu'un vampire t'a mordue ?**

Encore une autre question saugrenue d'Adèle ! Chaque matin, elle en trouve une nouvelle et la hurle dès que je mets les pieds dans l'enceinte de l'école.

– **T'es blanche. Tu fais peur ! On dirait que ton visage est en cire !** ajoute-t-elle de sa voix qui réveillerait les morts.

Les autres se retournent vers moi. Et je fonds. Pas moyen de passer incognito avec une amie comme Adèle. Car Adèle, c'est mon amie, malgré qu'elle me mette souvent sur la sellette, chose que je déteste. Elle le sait. Adèle a une voix qui porte et on dirait qu'elle est incapable de baisser son volume.

– Salut, Miss Micro !

– Oups ! J'ai peut-être parlé un peu fort.

– Un peu ?

– Tu ne te vois pas l'allure !

– Oui, je me suis regardée dans un miroir. Une vraie catastrophe, je sais. Mais comme j'ai pu m'y voir, j'en conclus que je n'ai pas été mordue par un vampire. Tu n'auras donc pas besoin de m'enfoncer un pieu dans le cœur pour m'empêcher de faire d'autres victimes.

– Une chance ! Ça me ferait un peu de peine que tu meures. Un peu…

Et la bouche d'Adèle esquisse un sourire. Mais ses yeux ne sourient pas. Je sens qu'elle veut me poser des tas de questions. Elle attend que je parle.

– Cette nuit, j'ai encore entendu des cris et des plaintes.

– Tu es certaine que ce n'est pas dans tes rêves ?

– Trois nuits que je ferais le même rêve ? Impossible.

– Et tes parents ? Ils ont entendu quelque chose ?

– Non, ils dorment. Ils m'ont dit d'arrêter de regarder des films d'horreur avant de me coucher. Qu'à mon âge, je devrais plutôt rire de ces histoires absurdes, qu'elles ne devraient pas me donner de cauchemars.

– Une vraie réflexion de parents !

– Exactement ! C'est vrai, je me suis couchée tard. J'ai regardé *Dracula*.

– Encore ton fameux film de Coppola ! Il date du siècle dernier !

– Oui, de 1992. Je n'étais pas née. Mais, j'en suis folle ! Je vais relire le roman aussi. Je t'ai déjà dit que l'écrivain s'était inspiré de la vie d'un cruel prince roumain du quinzième siècle ?

– Au moins cent fois !

– Bon, je radote encore. En tout cas. Donc, hier, j'allais m'endormir quand les plaintes ont commencé. J'ai d'abord cru moi aussi que je rêvais.

– Tu t'es levée ?

– J'ai fait le tour de la maison. J'ai regardé dehors. Plus rien.

– Un autre mystère de la nuit.

– Je suis certaine qu'il se passe des choses anormales près de chez moi.

Pendant que nous rassemblons nos livres et nos cahiers pour nos cours, je vois le grand Alex qui nous fixe toutes les deux. Je crois qu'il a un œil sur mon amie Adèle. Je crois, mais je n'en suis pas certaine. Il est si renfermé et timide qu'il est bien difficile de l'approcher. Je lui fais un signe de la main. Il se retourne rapidement comme si je l'avais pris en faute. Son frère Émile est tout le contraire de lui. Frondeur et séducteur, il tente sa chance avec toutes les filles. Et il a un succès fou. Alex m'intrigue. J'aimerais bien percer sa coquille pour le connaître. Il fuit dès que je l'approche.

– Alex est bizarre, tu ne trouves pas ?

– Pas plus que d'habitude. Tu viens ? On va être en retard si on continue à jacasser comme ça.

Sans avertir, Adèle part en flèche. Je mets mes jambes de course. Je la rejoins au moment où elle entre dans la classe alors qu'Émile en sort. Bang ! La collision. Mon amie échappe tout par terre.

– Excuse-moi. J'allais boire.

Adèle rougit. Émile sourit de toutes ses dents super blanches. Le beau et charmant

Émile, le jumeau du grand Alex, mes nouveaux voisins d'en face.

J'observe mon amie et Émile en train de ramasser les cahiers. Ils sont côte à côte. J'ai l'impression de voir des flammèches entre eux, comme une décharge électrique qui les secoue. Je les regarde se regarder dans les yeux et je comprends que Cupidon a visé et touché ses cibles en plein cœur.

Je devine aussi que nous serons trois pour dîner.

Et que je ne pourrai pas discuter de mon étrange nuit avec Adèle.

Trois à la cafétéria, trois aux casiers, trois sortant de l'école. Puis toute seule pour revenir chez moi, Adèle et Émile ayant décidé d'aller chez le disquaire. J'ai préféré me transformer en courant d'air pour les laisser en paix.

– Viens donc, Jeanne !

– Non, c'est impossible. C'est à mon tour de préparer le souper.

Ce qui est vrai. Sauf que j'ai déjà tout cuisiné samedi dernier et qu'il ne me reste qu'à réchauffer le porc au gingembre et les pommes de terre au gratin. Une salade de roquette et de tomates raisins pour accompagner le tout. J'ai faim juste à y penser. J'ai toujours faim.

Mon petit mensonge libère mon amie. Elle semble voler en marchant à côté d'Émile. J'aime la voir aussi légère. Moi, j'ai des boulets aux pieds et l'esprit plein de pensées noires. Je suis au ralenti.

Dormir... Dormir... Oui, dormir quelques minutes avant le souper me remettra des ressorts sous les souliers. Courage, j'arrive. Clé, serrure, vestibule. Divan accueillant avec tous ses coussins. La princesse que je suis s'écrase et ferme les yeux.

Et les plaintes commencent. Je les entends. Faiblement. J'écoute en cherchant à comprendre d'où elles viennent. Je me concentre sur les sons. Je reste immobile, yeux clos. Je vois Alex en sang, il crie. Je sursaute. Tout s'efface. Plus de bruit, plus d'images. Un rêve. J'ai juste rêvé. Rien de grave. Un cauchemar. Allez, debout si je veux bien dormir cette nuit.

Le chat miaule devant la porte-fenêtre. Les plaintes de tout à l'heure, c'est lui. Sûrement. Il passe une grande partie de la journée dehors. Et toute la nuit aussi. Je le fais entrer, il se frôle contre mes jambes. Il a faim. Il faut croire que la chasse aux oiseaux de l'après-midi n'a pas été bonne. C'est un vieux matou plein de cicatrices. Il ne sera pas ici plus de dix minutes. Il repartira faire des conquêtes pour un autre concert d'amour, ce soir, sans doute. Je sais maintenant à quoi m'attendre. Je pourrai dormir. Demain, j'aurai le teint éclatant d'une reine. Pas celui cadavérique d'une héroïne de film d'horreur.

– Allez, minou. Dehors. Va profiter du soleil.

Il me précède et je le perds vite de vue. Il se faufile dans la haie de cèdres au bout de notre terrain. J'entends le chien du voisin japper rageusement.

Et une tondeuse qui part. Puis une deuxième. La symphonie des tondeuses commence. Zut, au moins une heure de bruit infernal ! Pas moyen d'écouter les oiseaux. Je vis dans un quartier où les pelouses ressemblent à des verts de golf. Sauf chez nous, puisque nous n'avons que de grandes plates-bandes de fleurs et beaucoup d'arbustes. Les lilas parfument le jardin. J'aurais voulu m'installer à l'ombre pour travailler mes maths.

Adèle doit être en train de détailler le visage d'Émile et son physique athlétique. Moi, je pense à Alex au dos rond. Comment des jumeaux peuvent-ils être à ce point différents ? Ils se ressemblent pourtant. Mais les yeux d'Alex sont vides alors que ceux de son frère s'animent d'un rien. Un autre mystère.

Bon, au travail avant qu'Adèle me téléphone pour me raconter sa balade. C'est certain qu'elle aura envie de bavarder.

– Coucou Jeanne ! Nous sommes là !

Mes parents s'annoncent toujours ainsi. Puis, ils filent dans leur chambre pour enlever leur uniforme d'hôpital. Infirmière, infirmier, ils se sont rencontrés quand ils étudiaient. À son retour, papa s'exclame immanquablement :

– Nous voilà loin de la maladie et des histoires tristes.

Ils ne peuvent pas tout raconter, par respect pour les gens qu'ils soignent. Ils ont parfois des mines lasses et les yeux qui disent qu'ils auraient préféré ne pas voir ce qu'ils ont vu.

– Adèle s'est fait frapper par la foudre.

– Encore !

– Et oui. Il s'appelle Émile. Il habite en face.

– Lequel des deux garçons ? Le souriant ou le taciturne ?

– Le souriant.

– Tu deviendras peut-être une amie des garçons grâce à Adèle.

C'est vrai que je n'ai pas fait beaucoup d'efforts pour les connaître. La famille est arrivée il y peut-être deux mois. Le deuxième jour, je suis allée sonner à la porte pour voir de près Émile et Alex que j'avais aperçus la veille quand ils aidaient à porter les boîtes dans la maison. Le père, l'air froid, m'a ouvert et m'a demandé ce que je voulais. J'ai eu l'impression que je dérangeais. J'ai bégayé que je venais pour leur souhaiter la bienvenue. « C'est fait maintenant », qu'il m'a répondu. J'ai murmuré un au revoir et j'ai tourné les talons sans avoir vu ni Émile, ni Alex. Ni la mère. J'ai alors pensé que j'aurais deux nouveaux camarades d'école et que je n'aurais pas besoin de revoir cet homme peu aimable pour leur parler. Il me faisait penser à Frankenstein. Oups, trop de films d'horreur.

À l'école, tout le monde tournait autour des nouveaux. J'ai essayé d'engager plusieurs fois la conversation avec l'un ou l'autre mais tout ce que je disais tombait à plat.

Et ce matin, Alex m'a regardée avec des yeux morts et Adèle a mis des étoiles dans ceux d'Émile.

La volubile Adèle m'a retenue au téléphone une heure. Sa conversation peut se résumer en Émile est beau, formidable, merveilleux, gentil, intelligent. Bref, il n'a aucun défaut. J'avais l'oreille en feu. Il est trop tard pour lire.

Mon lit m'appelle. J'y saute. Je m'étire. Mes draps sentent la lavande et craquent quand je bouge. J'adore ce petit bruit. Cela me fait penser à des biscuits croquants. J'ai un petit creux, moi. Debout. Un biscuit, un verre de lait que je savoure devant la fenêtre de la salle à manger. Pas de lune ce soir. Je vais jeter un œil par la fenêtre du salon. Il y a de la lumière en face.

Je vois deux ombres bouger dans la maison de mes camarades d'école. L'une, massive et qui lève souvent un bras en l'air, l'autre, chétive et qui recule vers le mur.

– Tu ne dors pas, ma belle ?

– Maman ! Tu m'as fait peur !

– *Dracula* ou *Frankenstein* ce soir ?

– Aucun des deux films. Je regardais dehors. Il y a de l'action chez Émile et Alex. Regarde.

Tout était maintenant éteint. Il n'y avait plus rien à voir. Mon imagination ?

– Allez. On va dormir. Bonne nuit, Jeanne.

– Toi aussi.

Je m'installe dans mon lit. Et je sombre en pensant à notre matou qui est peut-être en train de se battre avec un rival dans l'espoir de conquérir une autre belle. Je songe à son chant d'amour. Je le perçois dans mon demi-sommeil.

❧

– **Jeanne ! As-tu vu un revenant ?**

Bon, voilà la question du jour !

– Non, Miss Micro. Juste le monstre de ma garde-robe ! Il est gros comme un gorille et il a une haleine de chaussettes crottées. Il gueule aussi fort que trois groupes *heavy metal.*

– Tu as mal dormi, quoi ?

– Je ne peux rien te cacher. Et puis, notre matou est arrivé ce matin en boitant et avec une oreille arrachée.

– Dure nuit pour lui aussi !

Sur ces mots, Émile arrive près de nous. Il sourit de toutes ses dents. On dirait un sourire forcé. Je repense à hier soir mais je n'ose pas l'interroger sur ce que j'ai cru voir chez lui. Alex nous regarde de loin. Je lui fais un signe de la main. Comme toujours, il se retourne. Adèle n'a d'yeux que pour Émile. Le couple part sans moi pour le premier cours. La journée sera longue. Je n'ai pas d'énergie. Heureusement, c'est vendredi.

❧

– C'est beau !

Nous voilà tous les quatre dans notre jardin. Maman avait raison. C'est Adèle qui a amené les jumeaux chez moi. Et, surprise, Alex parle. Il sourit, même. Il regarde partout en se promenant d'un arbuste à l'autre, de la plate-bande des pivoines à celle des iris.

– On doit être bien la nuit, ici !

– Moi, je trouve qu'on est toujours bien. Quand j'étais petite, je me cachais dans le trou de la haie que tu vois derrière le massif de pivoines. Je m'y suis endormie une fois et mes parents m'ont cherchée longtemps.

Émile regarde sa montre. Il bouge sur sa chaise. Il a l'air nerveux.

– Tu viens, Alex. Maman nous attend. On doit couper le gazon et ranger la remise.

– Je vais vous aider, s'empresse de dire Adèle en se levant d'un bond.

– Pas question ! C'est notre travail à nous, répond Alex.

Il regarde bizarrement son frère qui le regarde aussi, une ombre dans les yeux.

– Je vais juste aller dire bonjour à votre mère alors.

– Une autre fois. Maman est malade depuis quelques jours. Elle a besoin de calme, rétorque rapidement Émile.

Adèle n'ajoute rien. Son sourire s'efface. Elle comprend qu'Émile ne veut pas qu'elle aille chez lui. Elle le laisse partir sans insister.

Après son départ, elle éclate en sanglots. Je passe la soirée à la consoler et à essayer de lui changer les idées.

Je ne lui fais pas remarquer qu'il n'y a pas de symphonie de tondeuse en face ni que les jumeaux se sont métamorphosés en hommes invisibles.

Nous décidons finalement d'écouter *Dracula*. Pour le plaisir de crier.

Adèle est restée à coucher. On a parlé tard.

J'ai faim. Je me lève. Deux biscuits et un verre de lait pour calmer mon estomac. En ouvrant le réfrigérateur, je me dis qu'une carotte serait meilleure pour la santé. Demain, je jouerai au lapin. Au moins, je bois du lait.

Je mords dans ma collation en pensant que cette autre nuit sans lune serait un cadre parfait pour un film d'horreur. J'imagine un combat sans merci entre Dracula et Frankenstein. J'imagine des nuages de chauves-souris attaquant tous les animaux pendant que des zombis écrasent tous les être humains. Mon scénario n'est pas très original mais cela m'amuse de l'inventer. Dommage qu'Adèle dorme. À deux, on ajouterait du suspense et du sang, beaucoup de sang bien rouge.

J'en suis à ma dernière gorgée de lait quand les plaintes commencent. Elles viennent de tout près. J'écoute. Ce n'est pas le matou puisqu'il dort paisiblement dans un coin de la cuisine. Ses blessures doivent guérir.

J'ouvre la porte-fenêtre et je sors sur la terrasse. J'essaie de distinguer quelque chose. Impossible après avoir été éblouie par la lumière du frigo. Mes yeux doivent s'habituer. Tout est uniformément noir. Je saute de côté. Quelque chose vient de me frôler le bras. Puis je reconnais le bruit des élytres d'un hanneton en vol. Beurk ! Je déteste ces bestioles.

Tout est silencieux. Je vois les contours maintenant. La haie se détache du ciel. La table et les chaises de jardin font des taches plus pâles. J'attends, j'observe, à l'affût du moindre son, du moindre mouvement.

– Ahhhh !

Le matou vient de me passer entre les jambes en courant. Qu'est-ce qu'il lui prend ? Il est déjà guéri ? Une frousse pareille juste à cause de mon propre chat ! Fiou. Décidément, je suis nerveuse cette nuit.

Mieux vaudrait retourner dans mon lit.

Ce que je ne fais pas. Je décide plutôt d'aller inspecter le jardin pour trouver mon chat. Je marche lentement. Je suis pieds nus. L'herbe est humide. Pas de chat. Rien. Je rentre. Tant pis.

Je ressors sur le balcon d'en avant. Et je fige.

Dans la fenêtre éclairée de la maison d'Émile et Alex, je vois une silhouette massive qui frappe sans arrêt une forme pendant qu'une autre silhouette essaie de se placer entre les deux.

– Arrête ! Arrête ! Papa ! Arrête !

Mais ça continue.

– Tu vas tuer maman ! Arrête !

J'entends tout, je vois tout. Il frappe, il frappe.

Je suis tétanisée.

Ce n'est pas un film. Pas l'invention d'un cinéaste. Cela se passe devant chez moi, sous mes yeux.

Et j'ai peur.

Les cris continuent, les coups aussi. Puis, l'homme sort de la maison. Il court sur sa pelouse. Il vient vers moi. Il m'a vue. Il va me tuer.

Non. Il prend vers la droite. Il a un bâton.

– Reviens ici, Émile. Sors de ta cachette, espèce de petit morveux. Je vais te montrer que c'est moi qui mène dans ma maison.

Je me secoue et je rentre en vitesse. Je verrouille la porte.

– Maman, papa, vite, vite. Réveillez-vous. Vite.

J'ai crié vraiment fort. Mes parents se précipitent dans l'escalier. Adèle arrive aussi. Je raconte pendant que nous entendons encore les vociférations de ce fou.

Adèle pousse un cri. Il y a quelqu'un sur notre terrasse. On allume. Émile a le visage en sang, il se tient la cuisse.

On le fait entrer. Ma mère infirmière l'aide à s'asseoir.

– Maman, Alex.

Papa saute sur le téléphone. Puis il sort et va directement à la maison d'en face.

Moi, je regarde la scène du balcon. Alex est dehors. Il tourne en rond comme un zombi. Papa le ramène en sécurité chez nous. Alex a un bras cassé. Il a le visage vide que je lui connais. Maintenant, je sais pourquoi.

Puis, papa repart. Il retraverse la rue et entre dans la maison.

Les frères se serrent. Et ils pleurent tous les deux.

– Je suis lâche. Je t'ai laissé tout seul. J'étais caché dans la haie.

Émile sanglote.

– C'est fini maintenant, répond Alex.

Maman essuie le sang, tâte les blessures. Elle essaie de rassurer les garçons.

Moi, j'observe toujours ce qui se passe en face. Je ne vois plus papa. Il doit être en train d'examiner la mère de mes camarades. Adèle me rejoint.

Nous voyons arriver l'homme en furie. Il marche en tapant son bâton sur le sol. Il se dirige chez lui. Il va tomber sur papa par surprise.

– **HAAAAAAAAAHHHHH !**

Adèle se met à crier comme une folle.

– **HAAAAAAAAAHHHHH !**

Mon amie crie fort comme elle seule sait le faire. Elle crie, elle crie, elle hurle.

L'homme s'arrête. Il nous regarde. Et marche vers nous.

Miss Micro hurle, hurle à pleins poumons :

– **HAAAAAAAAAHHHHH !**

Enfin, des lumières s'allument partout, des portes s'ouvrent, des voisins sortent pour voir ce qui se passe. On entend la sirène de la police et on aperçoit la lueur des gyrophares au bout de la rue.

Le cauchemar va s'arrêter.

L'homme repart à la course en sens inverse. Il entre dans sa maison.

– Papa !

Cette nuit d'épouvante est finie. La mère des jumeaux est à l'hôpital. Son visage gardera des cicatrices.

Avant que l'homme arrive dans la maison, papa avait eu le temps d'amener la mère dans une autre pièce. Il s'apprêtait à sortir quand l'enragé, le bâton en l'air, est entré dans le salon. Papa a esquivé les coups et a réussi à se faufiler dehors.

Les policiers ont d'abord tenté de raisonner l'homme pendant qu'ils appelaient des renforts.

Silencieuse et impuissante, la foule observait.

Puis l'homme est sorti. Avec un fusil, le canon tourné vers son visage à lui.

Dans ces moments-là, on ne contrôle pas ses pensées. Je me souviens avoir murmuré que je préférais l'horreur des films *Dracula* et *Frankenstein* à celle de la vraie vie.

Calme et rassurant, un policier parlait sans arrêt afin de garder un contact avec l'individu.

Puis, des policiers, qui avaient contourné la maison, sont arrivés par-derrière et l'ont maîtrisé.

Émile et Alex habitent chez une tante jusqu'à ce que leur mère soit rétablie. Leur père est en prison en attendant son procès. Il suit une thérapie.

Adèle et moi, on est toutes les deux amoureuses.

– Jeanne ! Où es-tu ?

Voilà Miss Micro et Émile qui arrivent à l'école.

Alex et moi, nous sommes déjà là. Et nous parlons de *Dracula*.

Nuit d'amour !

par

Michel Lavoie

J'ai toujours cru que la peur est l'une des plus belles émotions à laquelle l'être humain puisse goûter. La peur, surtout celle qui engendre des frissons et qui sème des tremblements dans tout le corps, me permet de me sentir vivant, à l'écoute de mon cœur, à l'affût de nouveaux défis. Certes, il y a la peur de mourir, mais aussi celle de l'échec, de l'abandon, d'une journée sans soleil, sans espoir.

Je ne ressasse jamais mes souvenirs dans mes romans, mais je le fais volontiers dans mes nouvelles. J'y raconte ma jeunesse, une époque à la fois si lointaine et si récente. Je dois vous avouer que mon adolescence s'est déroulée dans les années où l'Église prenait beaucoup de place dans la vie des Québécois, de fait trop de place. Et j'étais, comme mes amis d'ailleurs, pas mal moins informé des petits et grands secrets de la vie que le sont les adolescents d'aujourd'hui. Étais-je heureux ? Bien sûr que oui ! Je le répète : la peur crée le bonheur, et j'étais un grand peureux !

C'ÉTAIT une journée d'Halloween semblable à toutes les journées d'Halloween, à l'exception que, cette fois-là, il flottait dans l'air un je-ne-sais-quoi de mystérieux, de troublant même. Pourtant, rien ne présageait un quelconque malheur, voire d'un minuscule danger, à moins d'être superstitieux, ce que je n'étais pas. J'avais pris l'habitude de marcher sous une échelle en présence d'un chat noir, d'ouvrir un parapluie dans le salon et d'inviter des revenants à mes parties. Bref, j'aimais défier le sort, me moquer des froussards et rire de tous ces énergumènes qui pensent qu'une catastrophe les attend au bout d'une ruelle sombre.

J'avais 13 ans, je suis né un 13 novembre, le treizième enfant d'une famille de treize, et mes parents avaient acheté une maison hantée de leurs propres parents qui, eux, l'avaient achetée le 13 juillet 1913, au coût de 1 313 dollars, et en avaient pris possession, vous l'aurez sûrement deviné, le 13 août. Que pouvais-je exiger de plus ?

Au collège, j'étais devenu un rat de laboratoire, évidemment pas du genre que les élèves disséquaient avec plaisir pour certains et avec dédain pour d'autres. J'étais assoiffé de sciences pures, exactes et enivrantes. Au diable la poésie, l'imaginaire, l'imprévu et l'inexplicable ! Moi, Michel, je devais, sous peine de suicide intellectuel, être en mesure de tout expliquer, de tout décortiquer et de tout analyser. Il n'y avait aucun phénomène naturel ou humain qui devait m'échapper. Le moindre détail inconnu devenait chez moi une source de stress continu et envahissant, qui m'obligeait à résoudre l'énigme sous peine d'en perdre le sommeil.

Cette curiosité excessive me rendait marginal. Il faut savoir que les années 1950 au Québec étaient celles de la Grande Noirceur. L'État et l'Église maintenaient les gens dans l'ignorance pour mieux les contrôler. On ne savait pas qu'on ne savait rien. Pire, on se croyait heureux, et cela devait nous suffire, le paradis nous étant promis à la fin de nos jours...

J'arrivai au premier cours du matin, sur un nuage. Notre prof de biologie entra dans la classe, tel un condamné à mort qui s'avance vers la potence, sous les regards avides des élèves figés à leur pupitre. Chacun de ses pas pesait lourd, plié qu'il était sous sa soutane de plomb.

Le brouhaha habituel entre deux cours avait fait place à un silence absolu, pesant comme l'automne qui n'en finissait plus de nous ennuyer. Il faut préciser que, le jour précédent, l'abbé Ringuet nous avait annoncé avec quelques hésitations dans la voix qu'il allait nous dévoiler les plus grands secrets du corps féminin, de quoi nous faire saliver pendant l'interminable attente. Je demeure convaincu encore aujourd'hui que certains de mes camarades ont fantasmé toute la nuit, au point de ne pas trouver le sommeil une seule seconde. Nous avions beau être débrouillards, la plupart d'entre nous n'avions qu'une vague idée sur le sujet, même si pour épater la galerie, nous nous targuions parfois de prouesses à la Don Juan.

Nous attendions des révélations fracassantes, les oreilles grandes ouvertes, la salive dégoulinant sur le menton. L'abbé Ringuet, lui, ouvrit la bouche, mais aucun son n'en sortit. Il prit le verre d'eau qui trônait sur son bureau et en but d'une traite tout le contenu. Son visage passa du rouge au blanc, puis prit des teintes plutôt énervantes.

Décidément, la sexualité et lui ne faisaient pas bon ménage, mais cela nous indifférait. Nous voulions tout savoir, tout comprendre, de préférence tout voir, en couleurs et en huit dimensions. Nos hormones en avaient assez de tourbillonner dans l'inconnu. Elles voulaient, elles aussi, se positionner pour jouir un tant soit peu. D'autant plus que chacun de nous avait été tellement traumatisé lorsque notre prof nous avait lancé, un sourire en coin, qu'un organe qui ne sert pas tend à disparaître. D'abord incrédules, ensuite apeurés, puis carrément terrorisés par cet énoncé apocalyptique, nous avions eu le même réflexe, soit celui de vérifier aussitôt si notre appareil respectif était bien en place. Des soupirs de soulagement se répandirent dans la classe, non sans sonner dans notre esprit l'urgence d'agir au plus sacrant.

Les minutes s'égrenaient, nos pouls palpitaient et notre curiosité quintuplait. Soudain, l'abbé Ringuet se racla la gorge, ajusta ses lunettes et appuya ses fesses sur son pupitre, signes évidents qu'il était enfin prêt à déballer ses connaissances du corps féminin, connaissances purement théoriques, bien sûr. Un prêtre, c'est un prêtre.

– Messieurs, je vous demande d'être très attentifs !

Plutôt bizarre comme approche, puisque tous les élèves avaient les yeux braqués sur lui, tels des vautours sur leurs proies.

– Aujourd'hui, je vais vous décrire le corps de la femme dans ses moindres détails et, surtout, son appareil reproducteur. Vous serez appelés, un jour, à vous marier et à offrir à l'Église des enfants qui enrichiront notre belle communauté chrétienne.

Nous étions à mille lieues de penser au mariage, encore moins de contribuer à l'expansion démographique de la paroisse. Notre priorité se résumait en un seul mot : sexe ! Voir, savoir, et, ultime fantasme, toucher !

L'abbé Ringuet toussota. Un autre signe que nous décodions facilement et qui annonçait son entrée dans le vif du sujet. Il se dressa bien droit, pivota sur lui-même et se rendit au tableau où il avait placé une affiche aussi large qu'intrigante. Elle était recouverte d'un carton noir pour en dissimuler les illustrations. Nous devinions déjà les images les plus affriolantes du monde.

D'une main tremblante, le prêtre s'épongea le front et, de l'autre, s'apprêta à soulever le carton noir quand, soudain, un râle s'éleva, suivi d'un cri de douleur. L'abbé Ringuet porta la main à sa poitrine, ses yeux se révulsèrent et il s'affaissa sur le sol dans un bruit de tonnerre. Après quelques spasmes, son corps se figea raide. Pas de doute, le pauvre abbé était mort, au moment exact où il allait nous dévoiler la révélation du siècle.

En un éclair, nos rêves s'envolèrent. Et ce ne fut pas la mort du prêtre qui nous attrista le plus, loin de là. Ce fut plutôt la certitude que le corps féminin resterait tapi dans l'ombre de notre ignorance et dans nos fantasmes pour un bon bout de temps, du moins jusqu'à ce que le collège trouve un remplaçant. Au point où nous étions rendus, chaque jour, chaque heure, chaque minute devenaient un véritable supplice et nous bombardaient de hantises insoutenables.

Le reste de la journée s'écoula dans un brouillard opaque et apeurant. Les enseignants, croyant à tort que nous nagions dans une tristesse infinie, firent en sorte que les cours soient plus légers, allant même jusqu'à nous gratifier d'un congé de devoirs et de leçons pour la fin de semaine, fait rarissime dans ce réputé collège de Gatineau. Cela tombait pile puisque, dans la tête de chacun, un projet se dessinait peu à peu et prenait de plus en plus d'ampleur. Si bien qu'à la fin des cours il était devenu une urgence hors de notre contrôle.

Il n'était plus question d'attendre un remplaçant, qui pourrait d'ailleurs trouver un prétexte facile – pourquoi pas le traumatisme subi par l'abbé Ringuet ? – pour sauter la partie du programme ayant trait à la sexualité. Nous ne serions pas plus avancés. Non, il fallait agir vite et bien. Nous risquions de suffoquer les uns après les autres. Nous étions embourbés dans un labyrinthe de bonnes et de mauvaises pensées, de tortures mentales aux manifestations physiques, surtout dans un endroit hautement stratégique du corps, qui nous faisaient mal paraître en public. Sans compter les rires moqueurs de jeunes adolescentes, elles-mêmes à la recherche de la lumière.

En sortant du collège, Bernard, Pierre, Raymond et moi, nous décidâmes sur-le-champ de nous rendre au resto du coin. Une fois que nous fûmes attablés loin des oreilles indiscrètes, un coke à la main, Bernard prit la parole, affichant son air habituel, c'est-à-dire solennel à souhait. Il faut dire que notre copain aspirait à une carrière d'avocat et, toutes les fois qu'il parlait, que ce fût devant une personne ou un groupe, il s'efforçait de clarifier ses propos en multipliant les précisions à la limite de l'intolérable.

– Mes amis, j'ai trouvé la solution à notre problème. Je connais un gars à qui son cousin a raconté ce qu'il avait appris d'un voisin qui, lui, l'a su en écoutant secrètement d'autres gars…

– Bernard ! Veux-tu nous dire ce que tu as en tête !

La remarque venait de Raymond, dont la patience n'était pas sa plus grande qualité. Vexé, Bernard se leva en disant qu'il allait commander une pointe de pizza, l'excuse facile pour éviter une engueulade.

De mon côté, je portai mon attention sur la petite midinette qui venait de s'installer deux tables plus loin. Juste comme je prenais une généreuse gorgée de Coke, elle croisa les jambes, dévoilant des cuisses délicieusement bronzées. Je m'étouffai d'envie, avalai de travers du coke qui me sortit par les narines, ce qui provoqua des rires chez les uns et du dédain chez d'autres. Heureusement, Bernard réapparut aussitôt et reprit son discours, ce qui me permit de me faire oublier un peu.

– Bon, n'en déplaise à notre ami Raymond, chuchota-t-il en rapprochant sa chaise du groupe et en dardant son vis-à-vis d'un regard de braise, je vous répète que j'ai vraiment la solution à notre problème commun. Mes chers amis, je vous jure que, cette nuit même, si vous me suivez, nous allons tous découvrir et admirer à notre guise et à volonté… ce dont vous vous doutez déjà.

Une bombe atomique n'aurait pas créé plus d'effet. Même Raymond, qui boudait dans son coin, avait les oreilles en forme de chou-fleur. Pierre, l'intellectuel de la gang, priait sa défunte grand-mère pour que ce soit vrai. Quant à moi, j'en oubliai la midinette, et le coke dans mes narines remonta à mon cerveau.

Satisfait de son emprise sur nous, Bernard regardait à gauche et à droite pour voir si on nous espionnait, brillante stratégie pour épicer son histoire et nous faire languir davantage. Sûr de son pouvoir, il planta le dernier clou.

– Il y a un terrain élevé sur le boulevard Alexandre-Taché où on peut observer, la nuit, de jolies demoiselles se dandiner dans leur appartement et, surtout, dans leur plus simple appareil. Des jumelles, et le tour est joué. Biologie 101 en direct, en couleurs et en trois dimensions. Opération bonheur !

La terre s'est arrêtée de tourner, nous de respirer et le futur avocat de gloser. Enfin ! Nous allions connaître les secrets du corps féminin ! Dans toutes ses splendeurs ! Finies les questions sans réponses, les recherches stériles à la bibliothèque et les tentatives infructueuses d'acheter un magazine *Playboy*.

Pierre, qui se glorifiait toujours de soupeser le pour et le contre afin de parvenir à des conclusions parfaitement logiques, vint étendre un bémol sur nos jouissances virtuelles.

– La nuit ? Avez-vous perdu la boule ? Nos parents n'accepteront jamais qu'on découche !

Je décidai d'intervenir et je compris alors que j'avais assez d'imagination pour devenir un écrivain célèbre, à tout le moins un auteur à succès, ou un auteur moyen ou un auteur tout court ou tout nu.

– C'est simple comme bonjour... ou bonne nuit ! Puisque c'est vendredi et l'Halloween, je vais dire à mes parents que je passe la nuit chez Raymond. Raymond va dire qu'il couche chez Bernard, Pierre chez Raymond, et Bernard chez moi. Comme je suis tout mêlé moi-même, ils n'y verront que du feu et on sera libres comme l'air !

Cette fois, la réaction de mes trois comparses éclata d'une seule voix, tonitruante et unanime :

– Génial !

Rien de bien surprenant dans mon cas.

Le temps était venu d'aller souper. Nous avons convenu de nous rencontrer à sept heures, costumés pour la tournée d'Halloween, bien entendu. Il ne fallait pas semer de doute sur nos véritables intentions.

Juste au moment de nous séparer, Bernard voulut ajouter un petit mot, un léger détail sans importance. Il murmura, un sourire narquois sur les lèvres :

– Les amis, j'ai oublié de vous préciser que l'endroit stratégique, c'est un... cimetière.

Une pleine lune, un ciel étoilé, une brise doucereuse et, bientôt, dans quelques minutes à peine, le grand bonheur de découvrir enfin les beautés de la nature humaine. Qu'auraient pu demander de plus quatre adolescents boutonneux, bercés d'illusions si longtemps bafouées, presque momifiés d'ignorance à une époque où les policiers mettaient sous arrêt les femmes qui marchaient dans la rue, les jambes légèrement à l'air ? S'il fallait que la même loi s'applique encore aujourd'hui, les prisons manqueraient d'espace.

Gatineau s'était endormie après une soirée d'Halloween semblable à toutes les soirées d'Halloween. Sur le boulevard Alexandre-Taché, notre étrange quatuor pénétra dans le cimetière, sur la pointe des pieds. Secoué par une montée d'adrénaline, chacun retenait un fou rire et une peur morbide, deux attitudes voisines l'une de l'autre.

Bernard avait apporté des croustilles, Raymond, des boissons gazeuses, Pierre, des jumelles, et moi, une lampe de poche.

Plus nous avancions dans le cimetière, plus il faisait noir et plus je tremblais de tous mes membres. De crainte de passer pour un froussard, je n'avais pas dévoilé à ma gang, à l'exception de Bernard, ma hantise des cimetières. Non pas parce que j'y venais souvent et que j'y avais vécu des expériences traumatisantes. De fait, je n'y avais jamais mis les pieds. Je ne pouvais même pas en voir un à la télévision ou dans un film. Pourquoi ? Les cauchemars ! Les horribles cauchemars qui venaient me bouleverser deux ou trois fois par semaine, au point qu'à mon réveil le matin, j'étais en sueur et – difficile à admettre aujourd'hui et publiquement en plus – j'avais mouillé mon lit. Ma chère maman en or expliquait cela par un problème d'adolescence, mais je n'osais pas lui en dévoiler la véritable cause.

Les cauchemars prenaient des teintes différentes au fil de leurs apparitions, mais un en particulier revenait périodiquement. Il était chaque fois identique, un scénario planifié au détail près, comme s'il *devait* se produire un jour ou l'autre, telle une fatalité incontournable. J'en soupçonnais la raison : ma trop grande curiosité du sexe… féminin. Monsieur le curé Smith l'avait expliqué lors d'un sermon mémorable qui m'avait cloué sur mon banc d'église et avait semé dans mon cerveau des graines de peur. Et ces graines, nourries de petites peurs du quotidien, telles la peur de l'échec, des araignées et des couleuvres, de mon père souvent en colère, des maladies de ma mère, de la déficience mentale de mon frère, de mes maux de cœur aussi fréquents qu'inattendus, toutes ces peurs fourmillaient dans un terreau fertile, devenant peu à peu la grande Peur.

Ce terrible cauchemar se déroulait ainsi :

> Minuit. Je me promène dans un cimetière. Je me sens bien, presque euphorique. Dans ma tête dansent des espoirs grandioses : un avenir brillant, de l'argent à

profusion, la compagne idéale et une belle famille. Soudain, appuyée sur un tombeau, elle est là, dans toute sa splendeur. L'Amour incarné ! Une belle adolescente à la peau de satin, aux yeux perçants, aux seins généreux, à la bouche offerte pour un éternel baiser. Je me penche, pose mes lèvres sur les siennes entrouvertes. Sa langue me happe, me caresse l'intérieur de la bouche, me pénètre jusque dans la gorge. Elle devient gluante, dégageant une odeur nauséabonde et se métamorphosant peu à peu en une couleuvre qui glisse le long de mon œsophage, me paralyse pour mieux me posséder. Elle s'insinue ensuite dans mon estomac, dont elle tapisse les parois d'une bave visqueuse, en ressort pour se diriger vers mon cœur. Elle s'immobilise, suce mon sang qu'elle rejette aussitôt en un venin purulent. Puis, elle se faufile dans ma carotide pour venir se balader dans mon cerveau. Elle s'enroule autour de mon cervelet et y dépose ses œufs. Comblée, elle redescend et quitte mon corps par une narine. Une fois à l'extérieur, la couleuvre devient reine du cimetière. Les tombes s'ouvrent, les cadavres s'en extirpent, certains les chairs pendantes, d'autres à l'état squelettique, d'autres momifiés, et viennent se prosterner devant leur reine, alors devenue femme. Laquelle me fixe de ses yeux vitreux, me dévoile ses charmes, m'invite à l'enlacer. Et qui, au moment même où je me colle à elle, me saisit de ses deux mains de fer, me sourit de sa bouche édentée et me brise en deux dans un affreux craquement d'os...

– Michel !

– Ahhhhhh !

Pierre venait de me toucher à l'épaule. Il fut aussi surpris que moi.

– On dirait que tu as vu un mort ! Inquiète-toi pas, ils sont enterrés bien creux dans la terre. Je voulais juste te passer les jumelles. C'est à tour de tenter de découvrir une merveille. Moi, je dois aller au pipi. C'est urgent !

Je ne savais quoi dire. Je devais surtout cacher ma torpeur. J'avais accepté d'accompagner mes amis en me disant que c'était peut-être là le remède miracle pour faire taire mes maudits cauchemars.

Pierre s'éloigna en titubant, une main stratégiquement placée pour éviter d'uriner dans son pantalon. Je dirigeai les jumelles vers l'édifice à appartements dans l'espoir d'apercevoir une jolie demoiselle en petite tenue, d'alerter mes complices pour qu'ils se rincent l'œil à leur tour et pour qu'on décampe au plus vite de ce lieu funeste. Je retournerais à la maison m'excuser de mon vilain mensonge et je me blottirais sous les couvertures de mon lit douillet.

Pour mon plus grand malheur, rien d'intéressant ne s'offrait à ma vue. Des fenêtres obscures, un chien qui sautillait sur un balcon, risquant de tomber en bas, un vieillard évaché devant son téléviseur à attendre le sommeil et une dame d'un certain âge en train de tricoter.

Soudain, j'entendis un bruit tout près. Je retins mon souffle, puis éclairai les alentours avec ma lampe de poche. Bernard et Raymond étaient appuyés sur une stèle de marbre en train de bouffer des croustilles à pleine bouche, comme s'ils n'avaient pas mangé depuis un siècle et demi. Ma mauvaise humeur grimpa d'un cran. Je pointai ma lampe sur leur visage pour mieux les vilipender.

– Je pensais qu'on était ici pour admirer des belles femmes, pas pour faire un pique-nique !

Bernard ne me répondit pas. Il roula des yeux en signe de mécontentement, prit une grosse poignée de croustilles et se bourra la face. Raymond, lui, me lança une réplique, mais au même moment une moto faisait des pétarades d'enfer dans la rue, et je ne compris rien à ses propos.

J'étais au bord du désespoir. J'avais froid, j'avais faim et j'avais la trouille. Les belles femmes et la recherche absolue du corps féminin, j'en avais ras le pompon ! Mais je ne voulais pas perdre la face. Mon ego surfait déjà à basse altitude et il ne pourrait souffrir une nouvelle rebuffade. Ce serait la catastrophe assurée.

Je décidai de m'éloigner de mes supposés amis et de m'approcher de la rue pour tenter une ultime fois de capter des images saisissantes.

Peine perdue. J'avais beau me concentrer au max, je n'apercevais pas le moindre indice qui pourrait m'annoncer la présence d'une jolie demoiselle, au point où je commençai à douter des prétentions de Bernard. S'il avait voulu nous jouer un tour ? Pire encore, me jouer un tour à moi, le plus peureux, le plus innocent, le plus naïf du groupe ? Et où était rendu Pierre ? Son pipi s'étirait un peu trop longtemps.

J'en avais assez ! Au diable les beautés sublimes du corps féminin ! J'attendrais l'occasion de le découvrir à un moment donné, dussé-je patienter pendant des mois. Je n'avais qu'une idée en tête, et elle tambourinait dans mon cerveau : me sauver chez moi !

Je retournai sur mes pas. Bernard et Raymond n'étaient plus là. Deux sacs de croustilles vides traînaient sur le sol, tels des vestiges laissés là par deux gourmands rassasiés. Aucun signe non plus de Pierre. Je n'osais pas crier leurs noms, parce que je savais, sans le moindre petit doute, qu'ils étaient bel et bien partis, m'abandonnant dans le cimetière en pleine nuit.

À l'instant même où la panique s'emparait de tout mon être, ma lampe de poche faiblit, puis rendit l'âme.

Minuit !

Auparavant, je pensais que mon cauchemar *devait* se réaliser. Maintenant, je *savais* qu'il allait se dérouler exactement comme dans mon sommeil. Dans quelques secondes, je vivrais chaque étape de ce voyage dans le monde de l'horreur et je ne pourrais y échapper qu'en acceptant de mourir. Lucidement, pour expier mon péché, le désir défendu de la chair, selon les mots précis du curé Smith. Même la confession – que dis-je ? mille confessions – ne me sortirait pas de ce pétrin. Alors, aussi bien en finir au plus tôt !

– Michel...

Voix douce, sensuelle, pâle à me faire frémir. Voix d'outre-tombe, triste à me faire pleurer des larmes de sang.

– Michel...

Appuyée sur un tombeau, une belle adolescente à la peau de satin, aux yeux perçants, aux seins généreux, à la bouche offerte pour un éternel baiser.

Enfin ! Mes réponses à toutes mes questions ! Voir, savoir et, ultime fantasme, toucher !

Des fous se battaient en moi, me secouaient à en perdre la raison. Certes, j'avais peur, mais j'avais envie, faim et soif d'amour.

– Michel...

Je m'approchai de la jeune fille, prenant tout mon temps pour admirer ses charmes, humer son doux parfum et contempler ses longs cheveux qui ondulaient jusqu'au sol. Ce n'est qu'à ce moment-là que je me rendis compte que la lune était devenue toute ronde, brillante, presque humaine. Elle dessinait des cercles de lumière autour de l'adolescente, autour de moi, laissant le reste du cimetière dans une noirceur d'encre.

Nous étions seuls sur terre, des ados miraculés, auréolés d'un bonheur à nul autre pareil, en attente d'une explosion d'étoiles dans nos cœurs.

J'avançai encore, de plus en plus près, de plus en plus fébrile. Elle ouvrit les bras, et je m'y blottis entièrement. Elle me cajola, me murmura des mots tendres comme je n'en avais jamais entendu auparavant, même dans mes rêves les plus fous.

Mes rêves !

Voilà ! Je m'étais donc trompé pendant tout ce temps ! Je n'avais pas été victime de cauchemars à répétition, mais gratifié de rêves magnifiques, incroyables ; des rêves d'amour, de partage, de jouissances... des rêves que l'Église condamnait, que le curé pourfendait du haut de sa puissance, que les profs d'enseignement religieux vilipendaient en nous menaçant de brûler en enfer pour l'éternité. Je m'étais aussi leurré sur un autre détail fort important qui, celui-là, m'inondait de gêne : non, je n'avais pas mouillé mon lit de peur, mais de... plaisir, du genre interdit hors du mariage.

La chance me souriait comme jamais je ne l'aurais espéré ! Et je me moquais dans mon for intérieur de mes copains qui m'avaient abandonné dans le cimetière, en pensant me jouer un tour pendable. Bernard était sans le moindre doute l'instigateur du plan, lui qui était le seul à connaître mes cauchemars. Comme je lui en étais reconnaissant !

– Michel, je t'aime…

Mon Amour me fixa dans les yeux, attisa mon désir à ne plus me contrôler. Elle ouvrit la bouche, posa ses lèvres sur les miennes. Sa langue me pénétra doucement, langoureusement, me caressant à me rendre fou.

Puis, sa langue glissa jusqu'à ma gorge, prit de l'ampleur, devint énorme. La nausée monta en moi, mais j'étais incapable de vomir, de crier, de respirer.

La sueur pissait sur mon visage, de l'urine coulait sur mes cuisses, et je me sentis défaillir peu à peu, des nuages noirs se formant dans ma tête, des crampes me vrillant le cœur. Juste avant de perdre connaissance, j'eus droit à une dernière vision :

… une couleuvre souillée de sang s'extirpait de mes narines…

Le 24 juin de la frayeur

par

Jocelyn Jalette

Journal Le Soleil, édition du 23 juin…

Un auteur a disparu !

Depuis bientôt deux semaines nous sommes sans nouvelles de Jocelyn Jalette, un auteur méconnu de Joliette. Bien que ça n'intéresse personne, et au cas où l'on ne le retrouverait pas, nous tenons à lui rendre hommage en rappelant les hauts faits de sa carrière locale… très locale !

En septembre 2001, il sort alors trois albums dans la collection BD-Rom : Un peuple en otage, Échec à la guerre *et* Balle perdue pour David Gérald. *Deux romans illustrés avec les mêmes personnages suivront en août 2007 :* David Gérald affronte l'Harmatan *et* La grosse machine.

Recherchant le détail vrai, il fut cependant pris à son propre jeu il y a 15 jours à Québec, alors qu'il effectuait un voyage de repérage pour la rédaction de sa prochaine nouvelle. Nul ne l'a revu depuis… et nul ne s'en plaint !

QUEL VOLEUR ce téléphone public ! Après avoir averti ma sœur de mon retour à la maison, je croyais pouvoir récupérer la balance du dollar que j'avais introduit dans cet appareil. Rien n'y fit, pas le moindre sou en retour ! Je venais d'apprendre bêtement qu'on ne pouvait pas récupérer notre monnaie, mais seulement faire d'autres appels dans les cabines téléphoniques. C'est donc en colère que j'interpellai un taxi qui passait.

J'avais à peine 15 ans et je savais que mes parents n'apprécieraient pas cette initiative. Heureusement, ils se trouvaient en voyage en Afrique. Pourtant, avais-je le choix ? Je venais de rater le dernier bus qui pouvait me ramener dans le quartier de Charlesbourg. Entre copains d'école, nous étions sortis pour fêter la fin des cours, mais surtout pour célébrer la Saint-Jean-Baptiste en cette veille du 24 juin. Comme c'était la tradition depuis des années, un concert de musique se déroulait sur les plaines d'Abraham pour souligner notre fête nationale et pour manifester notre fierté d'être québécois !

Bref, il était fort tard et j'avais au moins rassuré ma sœur sur ma bonne santé. Nous étions jumelles physiquement, mais en même temps si différentes dans nos caractères : autant elle était casanière, autant moi je ne ratais aucune occasion de sortir. J'étais beaucoup plus mature qu'elle... et plus jolie ! Aussi, je ne pouvais laisser passer l'absence de mes parents, en cette période, sans en profiter à fond. Il ne me restait plus maintenant qu'à m'assurer du silence de ma sœur. La connaissant, je savais qu'elle n'hésiterait pas à me dénoncer à nos géniteurs.

Alors que j'hésitais encore entre la menacer ou lui verser un pot-de-vin, mon regard fut attiré par une copie du journal *Le Soleil,* oubliée près de moi sur le siège arrière du taxi. Je la feuilletai tranquillement jusqu'à ce que je tombe sur un fait divers surprenant. En effet, le service de police de la ville de Québec recherchait des indices pour retracer un jeune auteur qui avait mystérieusement disparu deux semaines plus tôt. Ce qui m'embêtait là-dedans c'est que la dernière fois où on l'avait aperçu, c'est au moment où il montait dans un... TAXI !

Au fil du trajet, je m'aperçus justement que le chauffeur n'arrêtait pas de m'observer. J'espérais seulement que les mauvais pressentiments qui se développaient en moi n'étaient pas fondés. J'essayais de le voir dans le rétroviseur, mais j'étais trop mal située et je ne voulais surtout pas attirer son attention en me déplaçant. Tout à coup, celui-ci laissa entendre un bruit qui me fit sursauter. Il se retourna alors brusquement dans ma direction. Je n'eus pas le temps de prononcer un seul mot qu'il était déjà revenu à sa position initiale. Le feu de circulation, à l'intersection où la voiture s'était arrêtée, venait de virer au vert.

Plus le taxi roulait, plus le regard du chauffeur semblait peser sur moi. Le bruit du moteur de la voiture créait, à chaque tour de roue, une monotonie angoissante. La tension, en augmentant, accentuait mes battements de cœur. Pour me calmer, j'essayais de lire les bandes dessinées du journal. Je réussis ainsi à oublier temporairement ses yeux qui revenaient constamment vers moi.

Je tentais de distinguer son visage à travers le petit miroir de mon sac à main, tout en faisant semblant de rafraîchir mon maquillage. Je feignais de suivre la lumière extérieure pour justifier mon va-et-vient. Soudain, un cahot ébranla l'automobile et mon rouge à lèvres fit un trait sur ma joue. Ce petit incident me détendit un court instant, mais la crainte revint au galop dès que j'eus fini de m'essuyer.

Je ne savais plus quoi faire ! Baisser la fenêtre et crier à l'aide ? Non ! Et si cet homme n'était qu'un vilain curieux ? Les secondes passaient et je me demandais toujours quelle attitude adopter face à ce danger potentiel. Il fallait que je trouve une solution très rapidement. Nous approchions de ma destination. Que faire ? J'avais tellement vu d'histoires macabres à la télévision que je n'arrivais pas à rejeter ces idées morbides de mon esprit. Et sans parler de cet article de journal qui me revenait toujours en tête.

Finalement, je me préparai à descendre rapidement. Je sortis un billet de dix dollars, et, à la dernière minute, j'annonçai au conducteur que je débarquais là. Je lui remis l'argent et je m'élançai au dehors avant qu'il ait pu réagir. Curieusement, il s'entêtait à rester là. Il quitta même son véhicule et se dirigea vers moi. Craignant le pire, je me précipitai à la porte de la maison la plus proche. Je sonnai plusieurs fois. Je cognai aussi fort que je le pouvais, mais rien n'y fit, personne ne répondit. Malgré ma peur, je réussis à me retourner… Le chauffeur était là sur le trottoir, m'attendant patiemment. Qu'allait-il faire ? Qu'importait, il ne me restait que la fuite comme salut ! Je me mis à courir de toutes mes forces en espérant pouvoir lui échapper.

Bien que ne le voyant plus, je l'entendais me suivre pas à pas. Pourquoi n'attaquait-il pas ? Je n'eus pas le loisir de me poser cette question bien longtemps, puisque ma course fut interrompue lorsque je glissai sur un vieux patin à roulettes oublié.

Après avoir heurté le sol, je n'eus comme seule réaction que de protéger ma tête derrière mes bras tellement la peur m'envahissait profondément. Je le sentis se pencher sur moi, et c'est alors qu'il me déclara :

– Dites donc, vous m'avez bien fait courir ! Tenez, vous venez d'oublier ça sur le banc arrière… Heu ! Aussi, j'hésitais à vous le demander depuis que vous êtes entrée dans le taxi, mais ne seriez-vous pas une parente de Françoise Vaillant ? Ma fille suit un cours de judo avec elle. Vous lui ressemblez énormément… si on oublie votre affreux maquillage et votre coiffure !

Sur ces paroles étonnantes, je relevai les yeux et vis le chauffeur me tendre le journal que j'avais lu. L'homme avait sûrement cru qu'il m'appartenait et s'en était servi comme excuse pour venir me parler. Heureusement pour lui, j'étais trop contente d'être tirée d'affaires pour lui faire regretter ses remarques sur mon apparence. Quelle fin de soirée !

Il ne me restait plus qu'à ramasser mon sac à main contenant ma collection de bâtons de rouge à lèvres, avant de rentrer enfin chez… **PAF !**

Un objet venait de heurter violemment ma tête. Tout en m'écrasant sur le sol, et juste avant de tomber dans les pommes, j'arrivai vaguement à entendre le chauffeur prononcer lentement et de manière sournoise la réplique suivante :

– Cette jeune fille fera une excellente compagne pour l'auteur que j'héberge dans mon sous-sol depuis deux semaines !

Journal Le Soleil, édition du 25 juin…

Jack le kidnappeur a encore frappé !

La ville de Québec serait-elle le refuge d'un nouveau maniaque en série qui kidnappe les honnêtes citoyens ? En effet, un second présumé enlèvement en quinze jours s'est sans doute déroulé dans la nuit qui a suivi le spectacle de la Fête nationale. C'est après avoir assisté au grand rassemblement sur les plaines d'Abraham que Jeannine Vaillant, une jeune fille d'à peine 15 ans, de l'arrondissement de Charlesbourg, est disparue. Personne, depuis lors, n'a eu de ses nouvelles.

Certains témoignages, non confirmés par la police, rapporteraient avoir vu la jeune écervelée grimper seule à bord d'un taxi. Cette possibilité créerait alors un lien direct avec la disparition, dans les mêmes circonstances, d'un obscur auteur originaire de Joliette. Serions-nous en train d'assister aux premiers exploits d'un kidnappeur en série ?

Espérons seulement que les restes humains, découverts hier soir dans une poubelle au bord d'une ruelle de la basse-ville, n'appartiennent pas à l'un de ces deux disparus !

Et si on jouait au bonhomme pendu ?

par

Josée Pelletier

Mars 2007, semaine de relâche. Je skie seule et voyage dans le remonte-pente avec des inconnus. C'est à ce moment que j'ai l'idée d'écrire cette nouvelle. J'y crois tellement que j'en ai la frousse ! Je rentre au chalet et oublie cette histoire que je me suis racontée, qui m'a terrifiée. À la fin du mois suivant, j'assiste à une soirée de lecture présentée par Yanik Comeau. Il lit une nouvelle qu'il a publiée dans un recueil de l'AEQJ : « Ski de chalet sous la pleine lune ». L'histoire que j'ai imaginée à Bromont me revient au galop. Dès que j'entre chez moi, je l'écris. Mon frère, qui habite en Afrique, m'aide à la peaufiner (vive Internet !). Si je l'avais écouté, nous en aurions fait un roman. Probablement que de parler de neige et de froid lui donnait de l'inspiration. Car, chez lui, la chaleur est un rude adversaire. Ici, sur les pentes de ski, l'adversaire peut être un simple inconnu…

Bonne lecture !

C'EST LA NUIT BLANCHE à Bromont. La station est ouverte jusqu'à 2 heures du matin. Tous les jeunes s'y sont donné rendez-vous. Même mes amies. Le seul problème, c'est que mes parents m'interdisent d'être sur les pistes aussi tard. J'ai beau tempêter, leur dire que nous avons la chance d'avoir loué un chalet près des pentes, ils ne se dérident pas et restent de glace. Je suis entêtée : rien ne me fera rater le rendez-vous avec mes amies, Julie et Jade, au remonte-pente principal. Je boude pendant le souper. Puis, un éclair de génie me frappe : je vais jouer leur jeu, soit d'aller prendre ma douche, enfiler mon pyjama et faire semblant d'aller me coucher vers 22 heures. Je prendrai le temps d'aller embrasser mes parents pour les remercier de m'offrir une semaine de vacances près des pistes de ski. Puis, je vais aller me réfugier dans ma chambre.

J'attends donc que tous les membres de ma famille soient endormis avant de sortir en catimini. Je risque même de m'endormir. Peu avant minuit, je m'habille et enfile ma combinaison de ski – que j'avais pris soin de rapatrier un peu plus tôt dans ma chambre – et sors de la pièce sur la pointe des pieds. Près de la porte du chalet, je m'empare de ma tuque, de mes mitaines et je cherche mon foulard. Misère ! Où est-il ? Ah ! Voilà que je le trouve au fond de la garde-robe. Je fais le moins de bruit possible et pars en douce de la maison.

J'ai dû mal évaluer la distance entre notre chalet et la station, puisque je suis en retard de dix minutes au rendez-vous. Mes amies brillent par leur absence. Il y a foule au remonte-pente. Je grelotte. Je doute que ce soit une bonne idée d'être sortie alors que j'étais bien au chaud dans le chalet. Je décide quand même de faire quelques descentes en espérant retrouver mes copines. Je partage ma chaise avec trois autres personnes. Deux d'entre elles conversent avec animation. Je jette un œil sur le troisième passager, tout de noir vêtu, qui est assis tout au bout du banc. Je remarque ses skis. Dessus, il y a l'image d'un bonhomme pendu en noir sur fond blanc, identique à celui que je dessine quand je joue à ce jeu. La seule couleur qu'on y distingue est celle d'une tache rouge, visible sur le ski droit. On dirait une tache de sang. C'est fou ce qu'on dessine de nos jours sur des skis !

Lorsqu'on descend du télésiège, je file vers ma pente préférée, celle qui donne sur l'autre versant. La neige scintille sous l'effet des réverbères allumés. J'oublie le froid tant je suis envahie par le bonheur de glisser sur la neige. Le sombre skieur au bonhomme pendu me dépasse. Il est agile et je décide de le suivre. Il entre dans le sous-bois et évite les arbres avec adresse. Je reste sur la piste sans le quitter des yeux. S'il continue par là, il rejoindra une autre piste et je le perdrai de vue. Sous l'impulsion, je pique à travers les bois et le poursuis. Je ne sais quelle témérité m'interpelle. Je n'ai d'ailleurs pas le temps de me le demander. Il passe sur une butte et atterrit avec souplesse. Il s'éloigne rapidement. Trop vite pour moi. Tant pis ! Je ralentis ma descente et me dirige vers le remonte-pente.

– C-L-A-U-D-E !

Je relève la tête et vois Jade et Julie qui s'éloignent, bien assises sur leur banc.

– On se rejoint en haut ! crient-elles.

– D'accord !

Je me mets en ligne et attends pour monter. Il y a moins de monde à ce télésiège. Mon tour arrive rapidement. À la dernière seconde, un skieur s'assoit avec moi. Je n'ose le regarder, et porte mon attention sur ses skis. Un bonhomme pendu. Une tache rouge. Est-ce le vent froid ou cette vision qui me fait frissonner ? Je relève mon foulard sur mes joues.

Nous survolons une piste et brusquement le télésiège s'arrête. Je ne m'inquiète pas. Habituellement, l'interruption du remonte-pente est provoquée par la chute d'un skieur, soit à l'embarquement, soit lorsqu'il en descend. Le service reprend souvent rapidement. En ce moment, ça ne semble pas être le cas. Voilà plusieurs minutes que nous nous balançons entre ciel et terre. Je jure intérieurement : j'ai peur que mes amies s'impatientent et ne m'attendent pas.

Comme de fait, elles passent sur la piste, juste sous moi. Je crie pour attirer leur attention.

– Rejoins-nous au *chair-lift* principal ! répond Jade.

Je les regarde s'éloigner. Elles sont accompagnées de deux garçons et ont visiblement l'air de s'amuser. Je demande au sombre individu :

– Comment peuvent-elles aller au *chair-lift* principal en passant par là ? Il me semble que cette piste ne mène qu'au remonte-pente numéro 5.

– Il y a un raccourci par là, dit-il.

Je ne peux voir son visage. Il porte un casque, des lunettes de ski et son foulard lui cache la bouche et le nez. Le son de sa voix est désagréable. Comme s'il avait un horrible mal de gorge.

– Ah bon !

Un moment passe avant qu'il se présente :

– Je m'appelle Simon. Toi, je crois que c'est Claude, n'est-ce pas ?

– Comment le sais-tu ?

– J'ai entendu tes amies t'appeler ainsi, juste avant de monter. Claude, c'est rare pour une fille.

Chaque fois que je me présente, on me fait cette remarque. C'est agaçant à la fin. Voilà que lentement, le service reprend. Enfin !

En débarquant de notre siège, Simon me fait signe.

– Suis-moi !

Le début de la piste est rempli de bosses. J'ai vraiment de la difficulté à glisser. Simon m'attend à une jonction.

– Lâche pas ! C'est plus facile à partir d'ici.

Il fuit aussitôt. Je n'ai donc pas le temps de me reposer. Je continue donc cette descente de peine et de misère. Je trouve la piste difficile. J'ai mal aux cuisses. Simon disparaît à plusieurs reprises dans les sous-bois. Son habit sombre le rend parfois invisible. Puis, il apparaît d'entre deux arbres et atterrit juste devant moi. La première fois, j'ai sursauté. Maintenant, je trouve ça amusant. Tente-t-il de me séduire ?

Au bas de la pente, je ne retrouve pas mes copines. Je ne suis pas surprise, je m'y attendais presque. Elles ne sont ni dans la file d'attente pour remonter ni près du chalet principal. Je décide d'enlever mes skis et d'aller voir à l'intérieur. J'en ressors bredouille. Même Simon a disparu.

Je remets mes skis, et pendant une quinzaine de minutes, je cherche du regard Jade et Julie. J'en ai marre de faire du surplace. Je perds mon temps et je ne veux pas passer le reste de la nuit à poireauter. Je fonce au remonte-pente.

Je m'assois avec trois inconnus. Je reconnais une paire de skis. Sur l'un d'eux, il y a un bonhomme pendu. Je me penche et aperçois Simon assis tout au bout du banc. Il regarde droit devant lui. Il n'a pas dû se rendre compte que j'étais là.

Au sommet de la montagne, je prends à droite. J'ai l'intention de descendre une piste familiale. Je dois avoir fait la moitié du trajet quand j'aperçois Simon. Il entre dans un sous-bois. Malgré les arbres, la piste est bien éclairée. Il est si rapide qu'il m'est impossible de le suivre.

Solitaire, je retourne sur la piste principale. Simon me double. Je sursaute car je le croyais devant moi. Je m'élance à sa poursuite. Il braque vers la gauche, dans une piste dont l'accès est interdit. Je m'arrête et hésite. Sur la pancarte, je lis le nom de la piste et vois son classement : double diamant. Une piste trop difficile pour moi. Surtout qu'il n'y a pas de lampadaire.

Encore une fois, mon mystérieux personnage se volatilise. Je m'engage vers une piste éclairée, et j'omets de vérifier si quelqu'un vient. Je chancelle en croisant la trajectoire d'un skieur. Je perds le contrôle et m'affale de tout mon long. Mon orgueil en prend un coup. Je me relève rapidement et finis ma descente. Je fais à nouveau la file pour monter.

Quelle n'est pas ma surprise de voir Simon s'engager à mes côtés lorsque vient mon tour de monter dans le télésiège ! Il ne me salue pas, ni ne m'adresse la parole. Son silence me rend perplexe.

Les deux descentes suivantes se ressemblent. On dirait qu'il sort de nulle part, me dépasse et ouste ! il s'enfonce dans les bois. Je n'ai pas son audace ni son talent pour glisser aussi vite que lui dans une piste non éclairée. C'est trop périlleux à mon goût. Je reste donc sur les pistes balisées et me rends seule au bas de la montagne.

Ce qui me surprend chaque fois, c'est que nous montons toujours ensemble. Ce qui m'énerve, c'est de voir que mes amies demeurent introuvables.

Le vent s'est levé. Je vérifie l'heure. Une heure. J'espère que mes parents ne se sont pas rendu compte que je m'étais enfuie. Pendant la montée, je regarde le ciel étoilé. Je cherche la Grande Ourse et la trouve. Et voilà Orion.

Je jette un œil à mon compagnon. Nous sommes seuls, personne n'est avec nous. Il regarde aussi le ciel. Son visage est toujours caché par son casque, ses lunettes et son bandeau sur la bouche. J'ai envie d'entendre de nouveau le son de sa voix. Je dis :

– C'est une belle nuit.

À travers ses lunettes teintées, il semble me dévisager. Puis il reporte son regard vers le ciel. Encore une fois, le remonte-pente s'arrête. Pendant deux ou trois minutes, rien ne se passe. Le silence nous enveloppe.

Je relève ma visière. Je sens soudainement le poids de son regard. Peut-être est-il intéressé de connaître mon visage, comme j'ai envie de connaître le sien. Son regard est insistant.

– Quoi ?

– Il y a plein de neige sur ton foulard. Tu es tombée ? fait-il de sa voix rauque.

Difficile de le nier. D'ailleurs, cette neige se transforme en eau et me dégouline dans le dos. C'est franchement déplaisant. Empêtrée dans mes bâtons et mes mitaines, je ne tente pas de l'enlever. Vif, Simon retire ses mitaines et les met bien en serre entre ses jambes, tout comme ses bâtons. Ses mains s'approchent de moi. Instinctivement, je me recule.

– Je vais enlever cette neige, me rassure-t-il.

Il m'époussette telle une vieille armoire. Puis, je sens ses mains chaudes, trop chaudes sur ma peau. Mais que fait-il ? Je me statufie. Pourquoi laisse-t-il ses mains autour de mon cou ? Ah ! s'il pouvait relever sa visière, je pourrais enfin voir ses yeux ! Il enlève ses mains, puis refait la circonférence de mon cou en joignant ses mains devant lui. Ses pouces et ses index se rejoignent facilement. Je ferme les yeux le temps d'un clignement et lorsque je les ouvre, les mains de Simon sont posées sur ses genoux et il regarde les étoiles. Que s'est-il passé ? Il se tourne vers moi et déclare :

– Ce ciel est magnifique !

Le mécanisme du télésiège se remet en fonction. Je suis soulagée : ce gars est trop bizarre. Bizarre, et mystérieux.

Une impulsion me pousse à le suivre dès que nous descendons de notre chaise. Il emprunte la *Brome*, puis la *Medecine Hat*. La piste est éclairée. Mon slalom est solide et j'ai beaucoup d'assurance. Je le dépasse, mais c'est de courte durée. Il reprend la tête. Nous dévalons la

Calgary. En bas, il n'y a personne sauf le préposé au remonte-pente. La montée est longue. Les chaises devant nous sont désertes. Je jette un œil derrière : personne.

Simon relève sa visière. Curieuse, je lorgne vers lui. Je suis agréablement surprise : Simon a de magnifiques yeux. Pour sortir de mon embarras, je demande :

– Quelle piste ferons-nous ?

Il me toise, au point où j'en deviens mal à l'aise. Il se penche très lentement vers moi. Son regard semble se diriger vers mon cou. Il enlève l'une de ses mitaines, glisse son doigt sur mon cou. Je me raidis. Bizarre comme caresse.

– Si on allait prendre un chocolat chaud ? me demande-t-il alors que nous nous retrouvons sur nos skis.

La tête que fera Julie quand je vais lui présenter Simon. Jade, quand à elle, sera morte de jalousie.

– Bonne idée !

– On va passer par une piste fermée. Ne t'en fais pas, elle est facile.

Pour être facile, elle l'est vraiment ! J'ai l'impression de faire du ski de fond. Je ne remarque pas le trajet que nous faisons. Je me concentre sur ma foulée. Tiens, voilà une piste plus abrupte, à travers la forêt. Je dois contrôler mes virages afin d'éviter les arbres. La piste n'est éclairée que par la pleine lune.

J'ai peine à distinguer la silhouette de mon ami, vêtu de noir.

– On va où ? Oh ! Tu es là ?

– Par ici !

Sa voix me guide. Nous arrivons à une clairière. Une maison, un peu de lumière à l'intérieur. L'inquiétude me gagne.

– Où sommes-nous ?

– Chez moi, fait-il en enlevant ses skis.

J'hésite. Pourquoi me suis-je laissée entraîner ? Je n'ai aucune idée où je me trouve. Il doit se douter que je me sens perdue.

– Ne t'en fais pas. Je vais aller chercher de l'argent. Après, nous n'avons qu'à prendre ce chemin et nous serons au chalet principal. Viens, je vais te présenter à mes parents.

Ma confiance revient au galop. J'accepte son invitation. Nous découvrons sur la table de la cuisine une note griffonnée : « Partis skier, nous reviendrons à la fermeture de la station de ski. »

– Zut ! fait-il en fouillant dans son portefeuille. Écoute ! Mes parents ne sont pas là et... Pourquoi on ne se ferait pas un chocolat chaud ici ? On retourne sur la piste tout de suite après.

J'hésite. Il met de l'eau dans la bouilloire et sort deux tasses de l'armoire. Je me sens prise au piège : je ne peux plus refuser. D'ailleurs, je ne saurais retrouver mon chemin. Je vais à la salle de bains. Mon image renvoyée par le miroir me décourage : mes cheveux sont tout aplatis. Je tente de les coiffer mais en vain. Tant pis !

Simon m'attend au salon. Il redonne vie au feu dans le foyer. Je m'assois. Il va à la cuisine et revient avec les chocolats chauds. Nous buvons en silence. Parfois, Simon glisse son doigt sur mon cou, ça me fait frissonner. Je ne suis pas très à l'aise. Je crois que j'aimerais mieux partir. Même s'il est joli garçon. Surtout qu'il est très tard.

Bientôt, je me sens engourdie et passablement lasse. Même très lasse. La fatigue me rattrape. Sans le vouloir, mes paupières se ferment. Cette nuit au grand air m'a laissée fourbue. Je tente de laisser mes yeux ouverts, mais ils se referment malgré moi.

– Faut que j'y aille, dis-je sans conviction.

Ma bouche est pâteuse. J'aurais vraiment envie de dormir. Aurait-il mis quelque drogue dans mon chocolat ? Bah ! Je ne sais pas. Dormir, c'est tout ce qui compte.

Je sens Simon prendre ma main.

– Aïe !

Il a piqué le bout de mon doigt. Je n'arrive pas à réagir. Je ne comprends pas ce qui m'arrive. Mon corps refuse de réagir. Seules ma pensée et cette peur qui voyage en moi arrivent à me garder consciente. Je perçois toute cette mise en scène effrayante, et me demande pourquoi je suis incapable d'avoir peur.

Il presse mon doigt et une goutte de sang tombe sur son ski blanc. Celui qui est nu, sans dessin, sans couleur.

Un son, à peine audible, sort de ma gorge et parvient à mes lèvres :

– Mais que fais-tu ?

J'ai l'impression que ma voix revient en écho. On dirait que tout valse autour de moi comme dans un moment céleste. Je parle au ralenti. Je ferme à nouveau les paupières. Quand je les ouvre, je vois Simon s'activer. Au début, je ne saisis pas ce qu'il fait, puis je vois. Je sens l'affolement monter en moi. Je répète :

– Que fais-tu ?

– Viens !

Il m'aide à me relever. On dirait que je suis ivre. Je titube. Je monte une marche. Non, c'est sur un banc... Il fait passer ma tête dans un nœud coulant. D'un ton vraiment las, je répète pour la troisième fois :

– Mais qu'est-ce que tu fais ?

– On va jouer au bonhomme pendu.

Vlan ! Il donne un coup sur le banc où mes pieds sont posés. J'entends :

– Maintenant, mes deux skis seront identiques : je vais pouvoir dessiner un autre bonhomme pendu sur mon ski blanc.

Un rire horrifiant se fait entendre et parcourt toute la montagne.

L'auto-stoppeur

par

Michel St-Denis

En lisant la lettre qui m'informait du thème de ce recueil, j'ai vu des mains bleues dans la chambre à coucher d'un adolescent. Je ne savais rien de cet adolescent pas plus que de ces mains bleues. Je me suis lancé dans un long premier jet pour en apprendre plus, pour voir ce que je pouvais tirer de cette idée. Mais, au bout du compte, il manquait toujours quelque chose. C'est alors que l'adolescent est venu s'installer sur le bord d'une route et qu'un corbillard s'est arrêté près de lui. Tout de suite, j'ai su que je tenais mon histoire. Mais sans me douter des méandres au travers lesquels l'horreur me conduirait.

– MOI AUSSI à ton âge, je voyageais en stop, dit le conducteur du corbillard avec un air complice qui te rassure.

Et aussitôt il te raconte la fois où, faisant du stop, il a été pris à bord d'une limousine.

– Quand le propriétaire de la luxueuse voiture m'a demandé où j'allais, j'ai lancé au hasard le nom d'une ville située à l'autre bout du pays, comme ça, juste pour l'impressionner. L'homme a pris une bouffée de son cigare de la taille d'un bras de lutteur, puis m'a offert de m'y amener car c'était aussi sa destination. La limousine était justement en route pour l'aéroport où l'attendait son avion privé.

Le conducteur du corbillard éclate d'un rire jubilatoire en frappant le volant avec la paume de sa main.

– T'imagines la situation ? Un sacré hasard ! Alors, j'ai décidé de foncer et, quelques heures plus tard, je débarquais à l'autre bout du pays, c'est-à-dire ici, et j'y suis depuis ce temps. Incroyable, ce que la vie nous réserve, non ? Incroyable..., murmure-t-il en lissant sa longue et fine moustache avec le revers de sa main gantée de blanc.

Même si son histoire te paraît peu vraisemblable, tu joues le jeu, tu feins d'être assez naïf pour gober ses élucubrations sans rien remettre en question. Après tout, peut-être y a-t-il un fond de vrai dans son anecdote. Qui te croira, toi, quand tu raconteras que tu as été pris à bord d'un corbillard ? Invraisemblance pour invraisemblance.

L'allure vétuste du conducteur t'amuse. Un nœud papillon butine sur le premier bouton de sa chemise blanche et son haut-de-forme tape dans le plafond à la moindre bosse de la route. Son regard, son sourire, sa moustache, ses chics vêtements noir et blanc, tout en lui laisse croire qu'il s'est échappé d'un écran de cinéma muet.

– T'es déjà monté dans une limo ?

– Avant celle-ci, jamais, répliques-tu.

À voir son sourire, on dirait que tu viens de le mettre dans ta poche.

– Et tes parents ?

La question te désarçonne. Pourquoi ne laisse-t-il pas tes parents où ils sont ? C'est quoi cette enquête ? Où veut-il en venir ?

– Quoi, mes parents ?

– Ils ne s'inquiètent pas que tu montes en voiture avec des inconnus ?

– Non, non, ils sont cool, mes parents, je peux faire ce que je veux.

Le conducteur du corbillard comprend que tu n'as pas envie de t'étendre sur le sujet. En vérité, si tes parents savaient où tu te trouves, tu ne serais pas mieux que mort. Mais ils ne le sauront jamais. Jamais.

– Je vois, dit-il d'un air étrangement satisfait, comme s'il avait réussi à t'arracher une information précieuse.

Et sur ces mots, il se tait en déplaçant brusquement son humeur badine vers quelque chose d'inexplicablement sombre. Tu ressens tout de suite un malaise qui t'incite à te tasser contre la portière et soudain, dans le véhicule, il fait très chaud. Très très chaud.

– Je peux baisser la fenêtre ?

– Elle ne se baisse pas, rétorque sèchement le conducteur.

Dans le silence et la touffeur de l'habitacle, tu épies du coin de l'œil le conducteur. Deux choses te paraissent suspectes : la première, c'est que, contrairement à toi, le conducteur ne sue pas une goutte ; la deuxième, c'est qu'il conduit le corbillard les paumes ouvertes, les mains appuyées contre le volant, sans jamais refermer ses doigts, qui ont l'air rigides comme des bâtons.

Sans raison, le corbillard quitte la route principale pour un chemin secondaire. Ton cœur s'emballe.

– Eh ! cries-tu, où vous allez comme ça ?

– Un raccourci.

– Vous n'avez pas vu le panneau indicateur ? C'est un long détour de soixante-dix kilomètres !

Le conducteur pivote bizarrement la tête comme si son cou se déboîtait.

– Tu veux conduire, peut-être ?

Et le corbillard s'enfonce dans le chemin désert comme s'il cherchait à se volatiliser dans l'épaisseur du nuage de poussière qui roule sur son passage.

– Arrêtez, je veux descendre, dis-tu, le plus calmement possible.

Te voyant crayeux et presque noyé dans ta sudation, le conducteur ricane comme une hyène joyeuse.

– Tu as peur ?

– Je veux descendre, grommelles-tu entre tes dents serrées.

– Tu es blanc comme mes mains.

– Vous ne me faites pas peur.

– Vraiment ? Tu sais ce que je transporte, là, derrière ?

Le conducteur tapote le petit rideau noir pendu devant la cloison vitrée qui sépare la banquette de l'arrière du corbillard.

Tu n'oses pas bouger.

– Jette un œil si tu es si brave.

Tu ne peux pas te débiner, tu es pris au piège.

À l'instant où tes doigts entrent en contact avec le velours du rideau, à cet instant précis, le conducteur applique violemment les freins.

Le corbillard a repris sa marche tranquille.

À moitié sonné, tu te redresses sur la banquette. Derrière la vitre, il n'y a qu'un trou sombre avec rien à voir.

En voulant porter la main à ton front, tu t'aperçois que tes doigts sont empêtrés dans le rideau que tu as involontairement arraché en voulant t'y accrocher pour amoindrir l'impact.

– Un trou dans la route, laisse tomber le conducteur, moins en guise d'excuse que d'explication.

Une bosse commence à enfler à la droite de ton crâne. Ta tête a durement tapé dans le pare-brise et un début de migraine te rend vaguement nauséeux.

Le conducteur te remet un petit flacon qui ne contient qu'un seul cachet.

– Tiens, avale ça.

– Qu'est-ce que c'est ?

– Un antidouleur.

– Non, ça va aller, marmonnes-tu, pris en étau entre la méfiance et l'envie de soulager la douleur.

– Prends-le, grogne-t-il.

Ton mal de tête est si lancinant que tu capitules.

Le conducteur aurait pu dire « *On prévoit du beau temps pour demain* » ou « *Les carottes sont en spécial cette semaine* », tellement son ton est détaché, mais ce qu'il annonce te crispe sur la banquette : le corbillard est au bord de la panne d'essence. La bonne nouvelle c'est que, tout près, il connaît un endroit « très tranquille » où passer la nuit. Tu prends alors conscience que la nuit s'installe et que tu es à mille lieues du reste du monde, seul avec un sombre inconnu.

Le corbillard s'immobilise devant une cabane enserrée dans les lierres. Le petit bâtiment se découpe lugubrement sur un fond de nuages malingres léchés par les premiers rayons de la lune qui annonce sa pleine rondeur.

– Ne bouge pas, ordonne le conducteur en quittant le corbillard.

Puis, avant de refermer la portière, il ajoute quelque chose de si improbable et de si grotesque que tu te dis que tu as dû mal entendre : « Tu as de beaux yeux appétissants ». Ce ne sont certes pas les mots prononcés par le conducteur, mais pourtant la phrase, comme une formule maléfique, résonne dans tout ton être. Le conducteur contourne le devant du véhicule et tu le vois entrer et disparaître dans le petit bâtiment. Tu ne saisis pas bien ce qui t'arrive. Ta pauvre tête te complique l'existence. Tu fermes les yeux un moment et tout devient clair :

– Je dois m'échapper. Vite fait. Sans attendre. Tout de suite !

Tu tâtonnes pour trouver la poignée de la portière. Mais voilà qu'elle s'ouvre avant même que tes doigts ne l'effleurent.

Le conducteur du corbillard te presse de descendre.

Une longue plainte déchire la nuit et te glace le sang.

– Des coyotes, se réjouit le conducteur. Il y en a beaucoup dans les parages. Beaucoup.

Près de la porte, un moignon de cierge combat timidement la pénombre avec l'aide de la lune qui perce les deux vitraux pour découper sur le plancher des motifs aux couleurs ternes. Fait d'une seule pièce, l'intérieur de la cabane t'apparaît comme un rectangle froid où règne une puissante odeur de remugle.

– Quelle idée de flanquer un lit dans un pareil endroit ! marmonnes-tu en essayant de réfléchir à ta situation. La panne d'essence, c'était de la frime, c'est sûr. Le bonhomme ne m'a pas amené ici par hasard. Qu'est-ce qu'il mijote ? Est-il vraiment parti dormir dans le corbillard ? Pour en avoir le cœur net, je n'aurais qu'à sortir vérifier. Pourquoi est-ce que je ne sors pas ? Pourquoi est-ce que je renonce à tenter d'ouvrir la porte ? Elle est sans doute verrouillée. Et si elle ne l'était pas ?

Tu tends l'oreille, mais outre le chant terrifiant des coyotes, tu ne peux rien détecter. Même le vent semble mort.

– S'il envisage de me faire passer un mauvais quart d'heure, je suis déjà en temps supplémentaire, te renfrognes-tu.

Le bout de tes fesses repose sur le rebord du lit spartiate, plus près d'une civière que d'un lit, en fait. Tu n'oses pas t'allonger car tu redoutes de t'endormir. Mais qui pourrait trouver le sommeil sur cette planche à repasser ?

– Je dors peut-être déjà d'un mauvais sommeil, d'un très mauvais sommeil.

La bosse sur ton crâne est anormalement grosse. Elle a pris la taille d'une demi-balle de tennis. Heureusement que la douleur se dissipe. Le cachet doit faire son effet. Dans les circonstances, tu considères cela comme une bonne nouvelle. Depuis que tu as mis le pied dans le corbillard, tout est tellement déconcertant.

Ton regard revient sans cesse à la porte. Qu'est-ce que tu redoutes tant ? Pourquoi refuses-tu de prendre la chance – ou le risque ? – de t'enfuir par où tu es entré ? Pour éviter d'avoir à répondre à tes questions sans réponse, tu laisses dériver tes yeux dans la pièce.

– Une trappe !

Tu te convaincs que la trappe, qui se découpe entre les vitraux sur le mur du fond, reste ta seule chance. Pourquoi ? Tu n'en sais rien. Sans plus réfléchir, tu pousses le lit au bout de la pièce et tu grimpes sur le montant métallique en t'étirant sur la pointe des pieds.

– Merde !

La trappe est scellée avec une matière noire et épaisse comme du goudron. Tu sors de tes poches ton couteau suisse. L'outil fait l'affaire et même si tu dois trimer dur pendant un bon moment, tu parviens finalement à tes fins. Comme tu n'as aucune prise, tu n'as d'autre choix que de pousser la trappe, qui bascule vers l'extérieur.

Juste au moment où tu parviens à hisser la tête dans l'ouverture, juste au moment où le champ de pierres tombales qui jaillissent de la terre dans le bleu lunaire frappe ta rétine et ton imagination, juste au moment où, effaré, tu prends conscience que tu es enfermé dans le charnier d'un cimetière, juste à ce moment, à ce moment même, quelque chose t'effleure... et tu perds pied.

Tu pars à la renverse, les bras ouverts, en croix, comme un parachutiste qui ne bénéficie pas du temps nécessaire pour ouvrir son parachute. Suspendu dans l'air comme dans le temps, tu deviens la cible de ton couteau. La moitié droite de ton dos percute le lit alors que la moitié gauche, frappant le vide, te fait te retourner sur toi-même comme une crêpe. La lame du couteau transperce le tissu de ta chemise pour aller lécher ton épaule de sa langue pointue. Tu t'écrases lourdement, le souffle coupé. Mais sans ressentir la moindre douleur.

En prenant appui contre le mur, tu découvres la composition de son étrange relief. Tu retires aussitôt ta main avec la sensation terrifiante que le mur est organique, constitué d'une matière vivante qui pousse pour en sortir, pour défoncer la mince paroi qui la retient et t'en protège.

La chose furtive vient se fixer à la gauche de ta tête comme une œillère. Elle suit ton mouvement, restant ainsi toujours à distance égale, à l'écart de ton regard, se moquant de toi avec l'entêtement désespérant d'un moustique. Tu reprends ton couteau et une tache sombre se répand sur le tissu de ton vêtement.

Tu as toujours cru que les fantômes étaient de la foutaise, mais voilà que tu les sommes de te répondre.

– Qui êtes-vous ? Qu'est-ce que vous me voulez ? cries-tu d'une voix affolée.

La chose te taraude maintenant sur le flanc droit. Tu joues au chat et à la souris pendant encore un moment puis, enfin, tu réussis à lui faire face. À moins que ce ne soit la chose qui en ait décidé ainsi. Stupéfait, tu attends, immobile, le couteau prêt à frapper. UNE MAIN ? La chose, tu la vois sans y croire… UNE MAIN ! Une main blanche, une main sans bras, une main sans corps, une main rattachée au vide. Tu te dis que le coup que tu as reçu sur la tête t'a vraiment sonné.

La main blanche se déplace un peu à la manière d'un volatile en battant des doigts, si on peut dire, paraissant aussi inoffensive qu'un petit oiseau. Elle papillonne dans l'air à hauteur d'homme, indifférente à ta présence, ce qui contribue à calmer un peu tes nerfs. Mais voilà qu'une deuxième main venue de nulle part rejoint la première. Et de deux, en voilà quatre. Tu les chasses en battant l'air avec tes bras. Puis, en voilà seize nouvelles qui apparaissent d'un seul coup.

Les mains blanches sont-elles mues par une volonté propre ? Où pourrait se loger le cerveau dans une main ? Par quelles facultés extraordinaires sont-elles animées ?

– Mais, bon sang, tentes-tu de te raisonner, ce ne sont que des mains ! Que de simples mains !

Erreur. Ce ne sont pas de simples mains. Tes mains à toi, si tu n'étais pas là, crois-tu qu'elles se mettraient à bondir dans la pièce et à faire tout ce qui leur passerait par la… tête ? … par les doigts ? Tes mains, sans toi, ne sont rien, mais rien du tout. Alors, pourquoi ces mains sans corps ni tête s'en prennent-elles à toi ?

– Qu'est-ce que je vous ai fait ? Que me voulez-vous ? Fichez-moi la paix ! Allez-vous-en ! Allez-vous-en !

Que cherchent-elles ? Pourquoi tournent-elles autour de toi de cette façon inquiétante, pourquoi t'encerclent-elles, pourquoi à mesure que leur nombre augmente se font-elles de plus en plus menaçantes ?

Tu t'étourdis à vouloir les éloigner en fendant l'air avec ton couteau et, de seize, elles sont maintenant trente-deux et bientôt soixante-quatre. Les mains surgissent de partout, elles envahissent tout. Tu tournes sur toi-même comme une toupie, comme si tu te retrouvais au cœur d'un manège fou. Les soixante-quatre mains deviennent cent vingt-huit, et les cent vingt-huit, deux cent cinquante-six, et cinq cent douze, et mille vingt-quatre, et il est bientôt impossible de tenir le compte.

Le conducteur du corbillard a-t-il idée de ce qui se passe ? Tu veux l'alerter, au diable les scrupules, tu fonces vers la porte et advienne que pourra. Mais tu n'arrives nulle part, la porte est inatteignable.

– Sortez-moi d'ici ! Sortez-moi d'ici ! Laissez-moi sortir !

Mais ta voix s'étouffe dans ta gorge et la porte disparaît dans une nuée de mains blanches qui pullulent à l'infini. Et dans cet infini, tu es la personne la plus seule au monde.

Soudain, saoule d'invraisemblance, ta conscience lâche brusquement, comme une panne de courant, pour un instant ou peut-être pour une heure, tu n'en sais rien, mais l'instant d'après, tu sais que tu es perdu. Elles sont là, plus nombreuses, plus déterminées, plus envahissantes que jamais. Les mains courent sur les murs et le plafond et le plancher. Les mains *sont* les murs et le plafond et le plancher. Elles inspectent tous les recoins, elles se glissent sous le lit, gigotent sous le matelas. Les mains *sont* tous les recoins, elles *sont* le lit et le matelas. Elles t'auscultent avec leurs doigts impitoyables, elles te pincent, te griffent, elles remontent sur ton visage sans plus de précaution dans un va-et-vient cyclonique.

Ces espèces d'arachnides ongulés ne se contentent plus de fouiller tes cheveux, ils les arrachent par touffes, leurs ongles te grattent le fond des tympans, s'enfoncent aux creux de tes narines, leurs doigts fourragent dans ta bouche comme de gros insectes, te pincent la langue pour se venger de tes morsures inefficaces. Ils ont un goût et une odeur de poisson mort, une texture cartilagineuse de croquant de poulet. Ils courent sur ton corps, affluant en si grand nombre que tu es neutralisé sous leur poids cumulé. Ça grouille de partout. Tu es entre leurs mains, entre leurs sinistres mains blanches.

Étrangement, les mains épargnent tes yeux, les contournant avec une telle précaution que l'intention ne peut être que délibérée. Puis, soudain, elles s'illuminent de l'intérieur, les doigts prenant l'allure de grosses larves luisantes. Les mains se mettent à te secouer comme si tu étais un grain de sable au fond d'un sac. Tu as l'impression de te démembrer, de tomber en morceaux, de te décomposer. Tu n'es qu'un bout de viande dans une gueule terrible, plongé dans l'horreur d'une mer de larves frétillantes et avides.

Un bruit terrifiant s'installe en toi. On dirait des écailles, rugueuses, presque métalliques, frottées les unes contre les autres. Les mains cliquettent toutes à la même cadence, comme portées par un rite tribal. Ce concert d'épouvante fait vibrer les ténèbres et hallucine tous tes sens.

Le cliquetis émane des articulations des doigts. Et tous ces doigts, ces centaines, ces milliers de doigts cliquetants te soulèvent et t'enferment dans une cage de mains blanches qui n'appartiennent à personne, formant autour de toi une boule compacte de doigts pointés dans ta direction comme autant de pieux. Les mains blanches te malaxent, te font tourner sur toi-même. Elles s'ouvrent et se referment sur toi comme un cœur qui palpite. Et, ton cœur, paralysé par la terreur, n'arrive plus à battre. Tu pousses de toutes tes forces, de tes pieds, de tes genoux, de tes coudes, de tes épaules, de ta tête, mais sans arriver à crever une brèche dans ce piège grouillant comme un nid de serpents. Et les mains resserrent les rangs, elles se compactent au point que tu entends des os éclater. Les os se brisent, se broient et il n'y a plus que des débris d'os, qu'une fine poussière blanche qui tourne et roule dans ce manège infernal qui, semble-t-il, ne s'arrêtera jamais.

Brusquement, les mains blanches se retirent. Tu tombes en chute libre et la chute dure bien plus longtemps qu'elle ne devrait durer. Tu rebondis durement sur le sol et tu roules sur toi-même jusqu'à t'étourdir, cherchant à situer le haut et le bas, comme si le charnier avait pris des dimensions démesurées. Enfin, tout s'arrête. Et parmi les mains qui s'éloignent doucement en réintégrant le mur, deux mains te font signe, une espèce d'au revoir. Tu crois halluciner ! Ce sont tes mains ! tes propres mains ! tes mains à toi ! qui te désertent pour aller rejoindre les autres mains ! C'était donc ça qu'elles voulaient ces horribles mains blanches : ce sont tes mains, tes mains à toi, qu'elles sont venues chercher.

Malgré ta répulsion, tu décides d'examiner les dégâts qu'elles ont laissés sur ton corps, mais il t'est impossible de te relever. Tu ne peux voir tes bras sans mains, ni même tes bras, pas plus que tes jambes ou ton torse. Pourtant, tu arrives à voir tout dans la pièce. Tu peux voir tout ce qu'il y a autour de toi. Tu peux même voir la lune qui colore gaiement les vitraux et qui t'inonde de sa lumière froide. Tu peux tout voir, sauf toi. Tu peux tout voir parce que tu n'es plus que deux yeux. Deux yeux sur un plancher de bois rugueux.

La porte du charnier s'ouvre. Une haute silhouette aux mains gantées de blanc s'avance, s'accroupit et, avec sa grosse langue râpeuse et gloutonne, t'attrape, un œil après l'autre.

Le rouge aux lèvres

par

Louise Tondreau-Levert

Lorsque j'étais adolescente, mes amis et moi nous faisions des balades dans le sentier qui nous menait vers une vieille baraque que nous avions baptisée la Maison hantée. *Par bravade, nous fréquentions aussi le vieux cimetière écossais. Ces randonnées ne sont maintenant que de lointains souvenirs. Mais jamais je n'oublierai la fois où nous avons rencontré le fantôme qui occupait la* Maison hantée. *Nous avons fui comme si le diable était à nos trousses. Cette maison a réellement existé et le cimetière écossais affiche aujourd'hui complet ! Toutefois, le fantôme est probablement le fruit de mon imagination. À moins qu'il ne se soit introduit dans le texte que je viens d'écrire pour vous ? Attention, la lecture de la nouvelle « Le rouge aux lèvres » vous donnera froid dans le dos.*

Frissons garantis !

LES VACANCES commencent et je retrouve mes amis au chalet. Comme moi, ils passent l'été à la campagne. Nous organisons des pique-niques à la plage et des courses en canot. Mais lors de nos escapades dans les bois, nous croisons quelquefois des êtres irréels. Pendant les chaudes soirées d'été, nous en profitons pour explorer des lieux d'où les plus braves, s'ils reviennent, sont à la fois terrifiés et disjonctés. Avoir peur : voilà ce que mes amis et moi aimons par-dessus tout ! Je m'appelle Diane et ma meilleure amie se nomme Mireille. Nous sommes les plus jeunes d'un groupe de sept ados en quête de sensations fortes. J'ai quatorze ans et Mireille, presque quinze. Quelquefois, les plus vieux nous traînent à contrecœur, car les esprits qui hantent la région ne sont pas de tout repos. Des étés inoubliables, peuplés de personnages effrayants, de morts vivants et de zombis. L'été dernier l'un de nous a eu si peur que ses cheveux sont devenus blancs comme neige.

Donc cette année, Mireille et moi, nous nous attendions à passer la belle saison à flirter avec les gars, et surtout avec la mort. Paul, grâce à sa peau basanée et à ses cheveux blancs, est de loin le plus beau du groupe. Réapparu depuis son aventure terrifiante avec un macchabée au cimetière écossais l'année passée, il insiste pour faire encore partie du groupe. Toujours vêtus de noir, les jumeaux, Benoît et Louis, arborent un sourire béat et préfèrent vivre la nuit. Tout le monde sait que Paul et Liliane forment un couple. Cette dernière ose à peine respirer lorsque Paul s'adresse à elle. Reste André, timide et très réservé, qui connaît tous les secrets des plantes. Il aime les expériences, récite des tas de formules magiques et d'étranges incantations. André est Haïtien et il s'adresse aux revenants en créole. Mireille et moi espérons qu'à la fin de l'été les jumeaux deviendront nos amoureux.

Lors de notre première excursion vers la « La Maison hantée », une surprise nous attend. Tout le monde pense que cette maison abandonnée est hantée à cause d'une légende qui dit qu'un homme s'y est pendu. Le fantôme de ce dernier s'y promène surtout les soirs de pleine lune. Lors de nos escapades, nous avons l'habitude de jouer à la cachette dans les pièces de cette vieille bicoque à moitié démolie. Les garçons s'amusent à faire peur aux filles en se cachant dans le caveau ou dans ce qui reste du grenier. Ils simulent les spectres et les morts vivants. Même si nous savons que ce sont nos copains qui jouent à ce jeu d'épouvante, nous hurlons à pleins poumons comme de jeunes écervelées. La mince possibilité qu'un fantôme habite réellement ces vieux murs suffit à effaroucher des adolescentes en quête d'émotions fortes.

Quelle déception lorsque nous découvrons que la maison n'existe plus ! Elle a été complètement démolie ! Il n'en reste qu'un affreux tas de débris. Paul, le plus âgé du groupe, croit d'abord que nous nous sommes trompés de sentier. Mais non, nous sommes bel et bien au bon endroit. Notre lieu favori s'est évaporé pendant l'hiver. Qui donc a osé faire disparaître la Maison hantée ? Notre Maison hantée ! Le fantôme du pendu s'est-il lui aussi évaporé ? À moins qu'il ne se soit installé ailleurs ? Déboussolés et ne sachant que faire, nous retournons chez moi. Mon chalet est sur le bord du lac, alors nous en profitons pour y faire une saucette. Mais comment allons-nous faire pour combler ce vide ?

Nous profitions de cette maison pour inventer des histoires plus terrifiantes les unes que les autres. Nous y faisions des visites en soirée, espérant voir le fameux fantôme. Nous ne l'avons jamais réellement croisé, même si des bruits insolites s'échappaient des murs délabrés. L'endroit accueillait les hirondelles et leurs petits, les lièvres et quelques chauves-souris. Les amoureux en quête de solitude s'y rendaient en cachette, mais on raconte que le fantôme les forçait à partir. Ce lieu n'était pas très propice aux ébats amoureux, avec ses planches qui risquaient de céder à tout moment, les clous qui sortaient des murs, sans parler des bestioles qui y rôdaient. De plus, les jours d'orage, lorsque des morceaux de toit s'envolaient, que portes et fenêtres battaient au vent, une lueur bleutée s'en échappait. Grâce à cette lumière, la maison reprenait vie. Ceux qui se trouvaient dans les parages entrevoyaient alors le fantôme se balançant la corde au cou. Morts de peur, ils retournaient très vite chez eux. Depuis, plus personne n'osait s'y rendre lorsque le tonnerre grondait.

Mais désormais, personne ne s'y rendra plus.

Du moins, c'est ce que nous croyions !

Ce contretemps ne va quand même pas gâcher notre été entre nous. Il ne nous reste qu'à trouver un autre endroit où loger nos histoires d'épouvante. Paul, encore lui, a décidé de remplacer la Maison hantée, notre lieu de prédilection, par le vieux cimetière écossais. C'était un autre endroit que nous aimions fréquenter auparavant. Mais, depuis l'aventure de l'été dernier, nous avions décidé de ne plus y retourner – les tombes mal entretenues avec, à l'intérieur, des corps en décomposition ne nous intéressaient plus. En fait, plusieurs d'entre nous aimerions mieux, et de loin, inventer nos propres histoires d'horreur. Mais, pour ne pas avoir l'air peureux, nous avons tous accepté de nous rendre au cimetière, ce soir, juste après le coucher du soleil.

Munis de torches électriques, Liliane, la moins peureuse des filles, et Paul, le plus âgé des garçons, ouvrent le chemin, suivis d'André, de Benoît et de Louis. Mireille et moi fermons la marche. Sept ados qui partent à l'aventure dans la nuit. À part les insectes qui bruissent et les ouaouarons qui chantent, il n'y a pas âme qui vive. Un temps exceptionnel pour un 24 juin. C'est la fête de la Saint-Jean ! Voilà pourquoi Paul tient tant à se rendre au cimetière. Il a déniché des pièces d'artifice et il veut illuminer les vieilles pierres tombales. Histoire de réveiller les morts ! Pas certaine que ce soit une bonne idée, je décide d'intervenir :

– Paul, es-tu capable d'allumer ces pétards ?

– Ben voyons Diane, on m'a tout expliqué et y a rien là.

Benoît d'ajouter :

– Si t'as trop peur, t'as qu'à partir, ma belle.

– Niaise pas, Ben, ça brûle, ces affaires-là !

Louis insiste :

– T'as qu'à lire l'emballage et allumer la mèche ! C'est pas si compliqué !

Et à André d'en remettre :

– Si tu veux te dégonfler, t'as qu'à t'en aller, Diane Langevin.

Mireille et Liliane n'osent rien dire. Étant la plus jeune, je me tais et, comme elles, j'avance en silence. Une fois en haut de la côte, nous croisons le sentier qui mène à la Maison hantée. Probablement par habitude, nous empruntons le chemin de terre tant de fois foulé l'été dernier.

Encore une fois, j'interviens :

– Où on va comme ça ? Il me semblait qu'on allait au vieux cimetière pour braver la mort ?

Pas de réponse. Croyant ne pas avoir été entendue, je répète la question. Toujours rien. Mes amis avancent sans se retourner, comme des robots. Pour attirer leur attention, je commence à crier. Puis, je hurle. Aucune réaction, pas une seule tête ne se retourne. Inquiète, je tente de passer devant le groupe pour les arrêter. Ils forment un bloc, alors impossible de les doubler. Pour passer devant, je dois sortir du chemin, ce qui veut dire marcher dans les hautes herbes. Je déteste me retrouver parmi des plantes plus grandes que moi. De plus, il y a certainement des bestioles qui y vivent. C'est déroutant et désagréable, surtout la nuit. Avant de me lancer, je tente une nouvelle fois d'attirer l'attention de ma meilleure amie Mireille.

– Je t'en prie, Mireille, réponds !

Mireille semble hypnotisée. La peur me tiraille. La seule lumière vient de ma torche électrique. Les autres lampes sont éteintes. Je ne sais plus comment attirer l'attention de mes amis. J'ai envie de retourner chez moi, mais je n'ose pas les abandonner. Le cœur battant, je me lance tête baissée dans le champ qui borde le sentier. Les ronces m'égratignent et je sens que, sous mes pieds, ça grouille. Probablement des crapauds, des couleuvres et même de petits mulots. Après quelques minutes très désagréables, je reviens sur la terre battue, pensant aller me placer devant mes copains pour leur barrer la route, mais ils sont déjà loin devant moi. Pourtant certaine de les avoir dépassés, je me frotte les yeux à plusieurs reprises. J'ai l'impression de rêver. Je me pince. Non, je ne suis pas dans un de mes pires cauchemars. Je suis dans un sentier avec six de mes amis qui marchent sans but vers une maison inexistante.

C'est à ce moment-là que je la vois. Elle est là devant moi : la Maison hantée ! Elle se dresse tel un château au milieu de ce champ de broussailles. Beaucoup plus grande que dans mon souvenir. Les fenêtres ont des jalousies de bois qui battent au vent. La porte d'entrée est ouverte comme pour accueillir des visiteurs. Une fumée noire et dense s'échappe de la cheminée. Au deuxième étage, on peut voir dans la fenêtre de gauche une lumière bleutée qui éclaire une pièce où, malgré la pénombre, on aperçoit le visage d'un homme en détresse. Au loin, on entend un grondement de tonnerre. L'orage approche et mes amis vont bientôt pénétrer dans la maison du pendu. Encore une fois je les interpelle, mais ils ne m'entendent pas. Je cours si vite que le souffle me manque. Je dois absolument les empêcher de s'y introduire. Trop tard. Paul franchit le seuil et disparaît à l'intérieur. Puis, au tour de Benoît, d'André, de Louis, de Liliane, suivie de Mireille, ma meilleure amie.

Je fige, je ne sais pas ce qu'il faut faire. Je dois agir vite, car je suis certaine que mes amis sont en danger. Quel genre de danger ? Je n'en ai aucune idée. J'avance doucement, je me hisse sur la pointe des pieds. Je regarde par la fenêtre. Personne, je ne vois personne ! Où sont-ils ? À l'étage... ils doivent être en haut dans la chambre du pendu. C'est affreux ! Comment les sortir de là ? Je retourne dans le sentier pour mieux voir le deuxième étage. En regardant bien, je remarque des ombres dans la chambre maudite. Je compte les silhouettes, il y en a six. Ils sont tous perchés sur une chaise avec une corde autour du cou. Leur regard est vide, ils attendent que le bourreau passe à l'action. Et le bourreau, c'est le pendu ! Un halo de lumière l'enveloppe et, de ses yeux rougis, des larmes de sang s'échappent. Une vision horrifiante !

Je déraille... Je vais pourtant me réveiller. Il semble que non. Je suis seule sous la pluie froide. Les éclairs zèbrent le ciel et le tonnerre gronde de plus en plus fort. Des feux de la Saint-Jean très différents de ceux auxquels je m'attendais ! Et dire que pendant ce temps, nos parents rigolent entre amis en écoutant de la musique. Ils sont loin de s'imaginer que leur progéniture est en danger de mort. Ils nous pensent au vieux cimetière écossais en train d'inventer des histoires de morts vivants et de zombis en cavale. Par contre, les parents ne sont pas au courant pour les pièces d'artifice. Seul un oncle de Paul connaît ce détail. Ce dernier n'est pas à la fête, car il est en prison. On se demande bien pourquoi…

Je pourrais aller chercher de l'aide, mais le temps manque. Entrer et les délivrer ? Si je suis aussi happée par le mauvais sort, mes copains n'auront aucune chance de sortir vivants de la Maison hantée. Je grelotte, car je suis trempée. Incapable de réfléchir, je me laisse choir sur le sol. En tombant, je heurte un objet dur. À l'aide de ma torche électrique, je découvre le sac à dos de Paul. À l'intérieur, il y a les pièces pyrotechniques, une bouteille d'eau, un imper et des grignotines. Malgré le fait que je sois déjà toute trempée, je m'empresse d'enfiler le manteau à capuchon. À l'abri de l'humidité, j'espère arrêter de trembler. Même si mes amis sont en détresse, je prends le temps de manger un peu, puis je vide d'une traite la bouteille d'eau. Cette pause me permet de reprendre mes esprits. Je jette un coup d'œil à la fenêtre. Toujours la même vision. Les six adolescents sont encore là et surtout toujours en vie. On dirait des ectoplasmes sortis tout droit du film *Vendredi 13*.

Soudain, je note un changement dans le regard de Paul. Ses yeux ne sont plus révulsés, mais son regard est si intense que je détourne la tête. Soudain je comprends que les autres sortent lentement d'une transe. Ils sont sous le joug d'une force surnaturelle. Si ma grand-mère était là, elle sortirait son chapelet et elle brandirait la croix de Jésus à la face du fantôme. Apeuré à la vue de ce symbole, il retournerait dans les ténèbres de l'enfer. Mais comme je n'ai aucun objet religieux avec moi, cette solution s'avère inutile. Je dois trouver autre chose et vite. Les membres du groupe, sauf Paul, ont tous le désespoir dans les yeux. Je suis la seule qui puisse les aider.

Catastrophe ! Le revenant s'active. Il se prépare à pendre mes amis ! Ceux-ci se réveillent et comprennent soudain qu'ils sont dans une très fâcheuse position.

D'en bas je crie de toutes mes forces :

– Sortez ! Sortez vite de cette foutue maison !

Seul Paul me répond :

– Impossible Diane, il faut que tu viennes !

– Je n'ai pas du tout envie de rencontrer le fantôme du pendu.

– Sois sans crainte, il ne te fera aucun mal.

J'hésite. Soudain, un cri de Mireille :

– Au secours, Diane !

Sans attendre, je me dirige vers la porte. Mais cette dernière se ferme juste comme je vais entrer. Je tente de l'ouvrir. Impossible ! Elle est coincée. Aux prises avec le pendu, mes copains gémissent et psalmodient mon nom sans arrêt. De plus, c'est André qui dirige ce chant. Une mélodie profane qui déstabiliserait les plus lucides d'entre nous. Une répétition sans fin du même mot sur un ton monocorde. Dans l'impossibilité de me rendre là où sont mes amis, j'allonge le bras pour atteindre le sac de Paul. Je trouve sous les pièces d'artifice une petite radio cassette. Il y a déjà une cassette dans l'appareil. Je n'ai rien à perdre, alors je me rends sous le porche et j'allume le poste. Je mets le volume au maximum. Une musique criarde digne d'une fête d'Halloween s'en échappe. Les sons qui sortent de la radio enterrent l'incantation qu'André s'est mis à réciter. Toute une cacophonie !

Le spectre va et vient dans tous les sens. Et juste au moment où il s'apprête à enlever la chaise sous les pieds de Liliane, un autre genre de musique sort de la radio cassette. C'est une cassette maison. Alors il y a des plages pour toutes les occasions. Une mélodie magistrale fuse dans l'air humide, car après l'Halloween c'est la fête de Noël ! Quoi de mieux que l'*Alléluia* pour fêter le 24 juin ? L'effet sur le pendu est surprenant et tout à fait inattendu. Ce dernier oublie ses prisonniers et descend lentement l'escalier branlant. Pas de craquement. Aucun bruit ne provient des vieilles marches de bois. Donc, aucun moyen de savoir si le fantôme approche.

Prise de panique, je me dirige vers le sentier. Le fantôme flotte derrière moi. J'accélère et malheureusement, je trébuche. Encore le sac de Paul ! Des volutes bleues serpentent dans tous les sens. Prisonnière du spectre, mais pas paralysée, je fouille dans le sac et je déballe les pièces pyrotechniques. Puis je les allume avec les allumettes de Paul. Je lance le tout aussi loin que je peux et je me mets en boule sur le sol détrempé.

Toutes les pièces s'élancent en même temps dans le ciel qui s'illumine entièrement. C'est le plus beau feu d'artifice que j'ai vu. Le spectre semble aussi de cet avis. Il se mêle à la lumière et disparaît dans la nuit. Soulagée, je me relève et je retourne à la maison pour sauver mes amis. Surprise ! La Maison hantée a disparu ! « Impossible », me dis-je. Elle était là il y a à peine quelques minutes.

Un phénomène surnaturel ou une invention de mon esprit ?

Me croyant hors de danger, j'avance vers le groupe. Mais soudain, je sens un souffle glacial dans mon cou. Lentement, je me retourne. Il avance sans bruit et plonge son regard dans le mien. Je ferme les yeux, car ce que j'y vois me sidère. De toutes mes forces, je lutte. Il m'a choisie pour ma force de caractère, mais il est beaucoup plus fort que moi. Grâce à lui, je fais maintenant partie de ceux qui se glissent parmi les vivants pour les entraîner dans la mort.

Les jumeaux, André et les filles sont étendus parmi les débris. Ils sont en sueur et arrivent à peine à articuler quelques mots. Nous avançons vers eux. Ils se relèvent et avant qu'ils aient le temps de réagir, Paul et moi, nous nous abreuvons de leur sang.

J'ai adoré boire le sang chaud et doux de Louis. Désormais, il sera toujours avec moi, tout comme Mireille, ma meilleure amie. Paul s'est chargé de Liliane qui l'a à peine nourri, mais Benoît et André ont comblé son appétit féroce !

À l'aube, cinq cadavres ont été retrouvés. Deux jeunes manquent à l'appel. On les cherchera en vain. Les cheveux blanchis et le rouge aux lèvres, Paul et moi sommes à l'abri dans le vieux cimetière écossais.

Lors de notre réapparition l'été prochain, combien de victimes ferons-nous ?

Le violon de minuit

par

Marie-Andrée Clermont

La véritable horreur ne se trouve ni dans les films ni dans les histoires inventées. Elle existe, mille fois plus atroce que dans toute fiction, dans la réalité, dans la noirceur de l'âme humaine.

La grande chaîne universelle d'amour et de solidarité viendra-t-elle un jour ? Les hommes et les femmes de demain arriveront-ils à oublier le passé et à se donner la main pour créer un avenir meilleur ? Hélas, moi-même, l'éternelle optimiste, je reconnais qu'il est peu probable que ce soit demain la veille. On peut toujours rêver... mais, pour le moment, place à cette nouvelle sordide !

OPHÉLIANE venait d'attaquer le concerto pour violon de Félix Mendelssohn quand elle ressentit le premier déclic. Il lui arrivait parfois d'entrer en transe quand elle jouait, pour se retrouver tout à coup en communion directe avec le cosmos, comme si son violon, son archet, devenaient alors partie intégrante de son corps. Ses longs doigts effilés se démultipliaient, produisaient des sonorités célestes, faisaient chanter les cordes avec ardeur et virtuosité. Ophéliane vibrait à la musique, entraînant l'auditoire avec elle dans une expérience artistique sublime, unique, inoubliable. L'orchestre, derrière elle, l'accompagnait, la soutenait, la soulevait, lui procurait l'impression d'être toute-puissante. En ces rares moments de magie artistique, elle arrivait même à tout oublier du passé.

C'était le cas ce soir. Jamais elle n'avait joué avec autant d'inspiration !

Le second déclic se produisit entre le premier et le deuxième mouvement. Avait-elle rêvé ce regard vrillé sur elle, ce visage bouleversé ? La fraction de seconde où leurs yeux s'étaient croisés avait provoqué en elle un séisme de magnitude grand M, et son interprétation avait encore atteint de nouveaux sommets. Ophéliane dédia les derniers accords du troisième mouvement à l'inconnu qui la fixait, assis au milieu de la cinquième rangée, en guise de remerciement pour l'énergie que son émotion lui insufflait.

Sa performance magistrale lui valut une ovation debout et, lorsqu'elle rentra dans sa loge, un bouquet de roses rouges trônait sur sa coiffeuse, accompagné d'un carton sur lequel était écrit : *Avec toute mon admiration.*

Ophéliane avait vécu plusieurs enfers au cours de sa vie. Née pendant la guerre civile, elle avait dû traverser son pays à pied après le pillage de sa maison. Elle avait grandi dans un camp de misère. Lorsque ses parents avaient décidé de tenter leur chance au-delà de l'océan, elle avait marché vers la mer avec eux. Mais, chemin faisant, il y avait eu cette horrible attaque, et le massacre était longtemps demeuré gravé au fer rouge dans sa mémoire. Ses parents y avaient laissé leur vie. Quant à elle, elle avait survécu, mais combien de fois avait-elle regretté de n'être pas morte avec eux !

La musique l'avait sauvée... Un jour Ophéliane avait entendu un violon jouer et, subjuguée, elle avait trouvé au fond d'elle-même la force qu'il fallait pour rompre ses chaînes. Une nuit, elle avait fui, sans le moindre regret, pour se consacrer à ce qui devint rapidement sa grande passion.

Elle faisait maintenant partie de Pax Symphonia, un orchestre créé pour porter l'espoir dans les pays ravagés par la guerre. Composé de musiciens recrutés partout dans le monde, cet orchestre nomade en odyssée permanente voyageait aux quatre coins de la planète. Une école symphonique accompagnait l'orchestre et recrutait les musiciens de la relève. C'est là qu'Ophéliane avait appris les rudiments du violon. Et c'est en jouant du violon que, pour la première fois de sa vie, elle avait connu le bonheur.

Il y avait quinze ans de cela. Quinze ans qu'elle développait son talent avec acharnement, sans compter les heures ni les efforts, supportant sans gémir les répétitions interminables, niant sa fatigue, ne vivant que pour la musique. Devenue virtuose, elle jouait souvent comme soliste.

La mission de Pax Symphonia était plus importante que jamais après l'apocalypse à laquelle la Terre venait d'échapper grâce à une résolution désespérée de l'ONU, que, contre toute attente, les belligérants avaient acceptée *in extremis*.

Ophéliane jouait avec ferveur dans les pays meurtris aux cicatrices encore fraîches. Elle appréciait les rencontres avec les musiciens locaux qui se joignaient à l'orchestre pour un concert. Elle faisait partie du Monde Nouveau, de ces utopistes qui croyaient envers et contre tous à la grande paix universelle. Après des années de dur travail, Ophéliane avait terminé sa guérison intérieure. Dans son cœur, la violence et la soif de vengeance avaient fait place à des projets planétaires liés à l'amitié et à la musique.

Le concert de ce soir était une manière d'exorcisme, du fait qu'il avait lieu dans le pays où elle avait vécu tant d'horreurs. Cela expliquait sans doute le sentiment transcendant qui l'avait habitée pendant l'exécution du Mendelssohn, cette impression de s'être rachetée...

Mais tout à coup, à son grand désarroi, des souvenirs amers, oubliés au prix de tant d'efforts, s'insinuèrent dans sa mémoire. Ne parvenant pas à les bloquer, elle saisit son violon et se mit à le caresser doucement, les joues noyées de larmes. Le calme finit par revenir en elle et elle se leva pour se changer. Elle retira sa tenue de scène et enfila sa robe noire passe-partout dans laquelle elle se sentait si bien. Elle allait retourner dans les coulisses pour entendre la fin du concert lorsqu'on frappa à la porte de sa loge, qui s'ouvrit brusquement. Deux colosses s'encadrèrent dans l'embrasure.

– Veuillez nous suivre, ordonna l'un d'eux d'un ton sans réplique.

Sans attendre de réponse, il saisit le bras d'Ophéliane et l'entraîna dans le couloir. L'autre suivait, avec le violon qu'il avait remis dans son étui. La deuxième partie du concert commençait quand Ophéliane fut introduite dans un petit salon attenant au grand foyer de la salle de concert. La peur lui broyait les entrailles.

Elle reconnut tout de suite son admirateur de la cinquième rangée. Il devait avoir quarante ans. Ses traits burinés et sa crinière frisottée, dont quelques mèches grisonnaient, le rendaient plutôt séduisant. Ses yeux avaient une expression indéfinissable. Les deux colosses les laissèrent en tête à tête.

Ophéliane tentait de mettre de l'ordre dans ses sentiments contradictoires. La peur avait fait place à la colère. Non, mais, quelle idée de l'emmener de façon aussi cavalière ? D'autre part, la vue de cet homme éveillait en elle une émotion qu'elle n'arrivait pas à définir. Elle se rappela le regard qu'il avait gardé rivé sur elle pendant le concerto, ce qui apaisa un peu ses inquiétudes.

– Je n'apprécie pas du tout avoir été emmenée ici de force, s'écria-t-elle pourtant.

Venant à sa rencontre, l'homme lui prit la main en souriant.

– Pardonnez-moi, madame, mais en tant que propriétaire de cette salle de concert, j'ai des privilèges. Et je voulais, tout simplement, avoir la chance de vous dire à quel point j'avais apprécié votre prestation.

Un serviteur en livrée entra, déposa un plateau sur une table et s'éclipsa. Quelques secondes plus tard, l'homme débouchait une bouteille de champagne et emplissait deux flûtes.

Pax Symphonia séjournait dans cette ville depuis quelques semaines et devait y donner cinq concerts. Celui-ci était le troisième, et le premier où l'orchestre se produisait dans une véritable salle symphonique. L'avant-veille, il avait joué dans un centre hospitalier abritant des mutilés de guerre, et, devant les moignons de ces hommes, de ces femmes et même de ces enfants privés de mains, Ophéliane avait eu du mal à réprimer ses haut-le-cœur. En rentrant à l'hôtel, elle avait d'ailleurs vomi, au point d'être déshydratée toute la journée du lendemain.

Par politesse, la jeune violoniste trempa ses lèvres dans la boisson pétillante, mais sans boire. L'alcool faisait partie des renoncements nécessaires.

Après quelques minutes, son admirateur sortit le violon de son étui et le lui tendit d'un air suppliant. Elle le prit en souriant et exécuta de courtes pièces de Fritz Kreisler et enchaîna avec des improvisations mélancoliques, un peu jazzées. Encore une fois, le charme opérait : le regard de cet homme la stimulait et elle jouait divinement.

Un peu étourdie, elle s'arrêta enfin et demanda un verre d'eau. La situation lui paraissait angoissante tout à coup.

– Soyez remerciée, madame, pour chaque note que vous avez jouée pour moi.

Il s'approcha d'elle, se pencha et lui baisa la main.

Ophéliane sentit son sang se révulser. Ce qu'elle venait d'apercevoir sur le poignet de l'homme la ramenait brusquement dans un passé qu'elle avait cru mort et enterré. En proie à une émotion intense, elle rangea le violon dans son étui. Elle avait la nausée. Elle tremblait. Ce qui lui faisait le plus peur, c'étaient les sentiments désordonnés qui l'assaillaient, cette haine qu'elle croyait avoir jugulée à jamais. Se pouvait-il qu'en une fraction de seconde tous les efforts fournis pendant autant d'années pour effacer les stigmates d'antan fussent réduits à néant ?

« Il n'y a pas de hasard, se dit-elle en frémissant. Ce n'est pas pour rien qu'il croise ce soir ma route. » Elle le regarda, vêtu comme un prince, sabrant le champagne, vivant dans le luxe, et, encore une fois, le dégoût l'envahit.

Était-ce un piège ? L'avait-il reconnue ? Se souvenait-il ? Sans la cicatrice révélatrice à son poignet, elle ne l'aurait pas reconnu. Elle, elle n'était qu'une fillette à l'époque, et elle avait changé de nom. Non, il ne pouvait pas savoir.

Mais elle, elle savait très bien que cet homme était un être redoutable.

S'efforçant de camoufler son émoi, elle demanda où se trouvait la salle de toilette et s'y réfugia pour réfléchir. Elle tâta l'arme dans son soutien-gorge. Ses réflexes guerriers lui revenaient au galop, comme si la dernière attaque avait eu lieu la veille. Elle savait qu'elle n'hésiterait pas à s'en servir, le cas échéant.

Quand elle rejoignit son hôte, son plan était dressé et elle était déterminée à le mettre à exécution.

⁂

– J'aimerais vous montrer mon atelier, lui dit l'homme en l'entraînant dans la pièce attenante.

Une immense toile vierge attendait, posée sur un chevalet. Sur des socles et des guéridons trônaient des mains sculptées, mains jointes ou entrelacées, blanches ou noires, aux doigts effilés ou boudinés, constellées de taches, grassouillettes ou poilues...

– Permettez-moi d'immortaliser les vôtres, madame. Elles sont incomparables.

Il l'installa sur un tabouret et lui tendit de nouveau le violon, qu'il positionna sur son épaule.

– Voilà, c'est parfait comme cela, ne bougez plus.

Avec un appareil photo, il prit coup sur coup une dizaine de clichés sous différents angles, puis il se mit à dessiner tandis qu'elle réfléchissait intensément, repassant le scène à scène de son plan.

– La peinture représente pour moi ce que la musique est pour vous, murmura-t-il en maniant sa craie. Une manière d'oublier les horreurs du passé...

Ophéliane réprima sa surprise. Y avait-il un sous-entendu dans ces derniers mots ? Décelaitelle de l'amertume dans le ton de la voix ? La jeune violoniste commençait à se sentir mal à l'aise et toutes ces mains lui paraissaient tout à coup sinistres et maléfiques. Elle ne put s'empêcher de frissonner...

– Je voudrais aller me reposer, dit-elle tout à coup. Je suis fatiguée.

L'homme parut contrarié.

– Je n'ai pas terminé, dit-il.

– Nous donnons un autre concert demain soir. Je dois me reposer.

– Il n'en est pas question.

Le ton était dur. Sans réplique. Comme un coup de fouet. Que s'était-il passé pour que l'atmosphère change de façon aussi drastique ? Elle commençait à avoir réellement peur.

L'homme continua à dessiner pendant plusieurs minutes.

« Ça suffit ! » se dit alors Ophéliane, incapable de soutenir la tension plus longtemps.

Rassemblant son énergie, elle s'efforça de retrouver son calme. Elle savait qu'elle devrait agir vite. Elle avait une longue expérience des situations où tout se jouait en une fraction de seconde.

L'instant d'après, elle avait bondi et se retrouvait à un pas de l'artiste, tenant à la main un pistolet de la grosseur d'un téléphone cellulaire qu'elle avait retiré subito presto de son soutien-gorge.

– Je vais vous tuer, dit-elle calmement.

L'homme se figea sur place, craie à la main, sueur au front.

– Je vais vous tuer, et je veux que vous sachiez pourquoi. J'avais six ans, murmura-t-elle d'une voix sourde. Vous nous avez attaqués, mes parents et moi, alors que nous fuyions vers la mer. Je vous ai vu égorger ma mère. Je vous ai vu ordonner à votre armée de gamins de couper les pieds de mon père avant de l'achever vous-même à coups de machette. Et si j'ai été épargnée, monsieur... c'est parce que vous vouliez faire de moi une machine de guerre. Vous rappelez-vous, monsieur ?

Elle criait maintenant et ses yeux lançaient des éclairs.

– Je me rappelle seulement que vous m'avez faussé compagnie, Ophéliane. Et vous avez bien fait. Cette partie de ma vie n'est que honte pour moi. Je regrette infiniment...

Elle parut décontenancée.

– Vous, vous vous êtes rachetée par la musique, enchaîna-t-il doucement, et moi par les beaux-arts.

Le pistolet toujours pointé sur sa gorge, il se lança dans un plaidoyer désespéré.

– À quoi bon jouer dans Pax Symphonia si vous n'y croyez pas ? Votre orchestre est censé panser les plaies trop vives des ex-pays en guerre. Les gens pour qui vous jouez, soir après soir, croyez-vous qu'ils sont tous innocents ? Non, Ophéliane. Ils ont du sang sur les mains, tous tant qu'ils sont. Le sens même de votre mission, c'est d'encourager les gens au pardon, à l'oubli, au recommencement serein dans la paix et l'harmonie. Écoutez, d'ailleurs...

De la salle de concert leur arrivaient les mesures énergiques de la dernière pièce au programme, celle que l'on jouait chaque soir en faisant participer la salle, cet hymne à l'avenir, ce poème distillant l'espoir pour un monde meilleur que chantaient les spectateurs d'une seule voix, debout, les yeux clos, en se tenant la main.

Ébranlée, Ophéliane abaissa son arme. Le charme de la musique opérait sur elle, même de loin. L'essence de sa mission lui revenait. Elle se secoua.

– Vous avez raison, reconnut-elle. J'en ai eu très envie, mais non, je ne vous tuerai pas. Pour éviter de propager le cercle vicieux de la haine et de la violence. C'est l'essence de notre mission, à l'orchestre. La raison qui nous fait voyager autour du monde.

Soulagé, il se détendit légèrement.

– Je vais vous montrer quelque chose, Ophéliane. Regardez bien.

Il appuya sur un bouton et un pan de mur coulissa. De l'autre côté, une dizaine d'hommes et de femmes, assis par terre, chantaient un lamento lugubre. Ils avaient l'air tellement malheureux. Avec horreur, Ophéliane s'aperçut qu'ils n'avaient pas de mains. Elle ouvrit des yeux horrifiés. Le mur se referma après quelques secondes.

– Pourquoi ? gémit-elle, pourquoi m'infliger cette vision inhumaine ?

– Un simple rappel...

– Il m'a fallu tant d'années pour tout oublier.

– Oublier n'est pas une solution. Vous vouliez me tuer pour me punir de certains crimes, alors que vous-même...

– Taisez-vous, hurla-t-elle. Vous étiez un adulte et moi une enfant. Est-ce ma faute si on m'a montré à jouer du couteau avant de m'apprendre à lire ? On m'a instruite, oui ! en m'enseignant la haine, le mépris, la violence, en m'interdisant de sourire, de dormir tranquillement, de me faire des amis. Mon cœur est devenu noir, dur, impitoyable, incapable du moindre sentiment de gentillesse, de sympathie, de tendresse. Chaque jour je devais me montrer plus violente que la veille, sous peine de subir des sévices intolérables. Et *qui* m'enseignait toutes ces belles manières ? rugit-elle, soudain déchaînée. Vous, monsieur ! Vous, mon mentor, mon maître à détester, à torturer, à tuer. Celui qui m'a appris à commettre tous ces crimes sans le moindre remords !

Elle sanglotait, les joues inondées de larmes. Elle regarda son violon qui était tombé par terre près du tabouret et fut saisie de découragement.

– Je vous en veux tellement ! cria-t-elle. Non, je ne vous déteste pas, car avec les années j'ai désappris la haine. J'ai opté pour autre chose. Pour la beauté de la musique. Pour la paix. Pour le pardon. Pour l'amitié universelle. J'y croyais jusqu'à tantôt. J'y crois encore, mais mes sentiments me font peur. Ce que je trouve impossible à faire, et ce depuis le début de ma thérapie par la musique, c'est me pardonner à moi-même les crimes dont vous venez de me montrer les conséquences, ces crimes qui me donnent des cauchemars chaque nuit, ces crimes que je n'ai jamais réussi à oublier, même avec de l'aide médicale et psychologique, et qui, ce soir, me sautent à la conscience par votre faute, plus forts et plus douloureux que jamais...

Le visage hagard, les yeux déments, elle se dirigea vers la porte sans se retourner.

– Vous oubliez votre instrument, murmura l'homme dans son dos.

Alors elle s'écroula sur le plancher et tourna vers lui un regard éperdu. Elle hochait la tête de gauche à droite sans pouvoir s'arrêter.

– C'est fini, sanglota-t-elle... Même la musique ne suffira plus à enterrer ces souvenirs immondes. Jamais plus...

Le violon gisait toujours sur le sol. Frémissante, elle le ramassa et, dans un geste désespéré, le fracassa violemment contre le mur. Puis elle se releva et s'enfuit à toute vitesse.

L'homme la suivit des yeux pendant un moment, puis il appuya sur un bouton. Ses deux serviteurs accoururent.

– Vous allez l'attraper et lui couper la main droite à la hauteur du poignet, leur ordonna-t-il. J'ai déjà convoqué l'équipe médicale et les taxidermistes. Il manquait une main de violoniste à ma collection...

La Route 20

par

Sonia K. Laflamme

J'adore lire, entendre, raconter et, bien sûr, écrire des histoires. Je les aime pour les merveilleux moments d'évasion qu'elles me procurent, pour les connaissances qu'elles me permettent d'acquérir, pour les émotions foisonnantes qu'elles me font vivre. Je me régale surtout de celles qui me font retenir ma respiration ou vérifier, avec une angoisse palpable et un cœur battant la chamade, que la porte de la maison est bel et bien verrouillée...

J'adore aussi les routes et les endroits où elles mènent. Chaque fois qu'il m'arrive de voyager de nuit en voiture, les prémices d'une nouvelle histoire se mettent peu à peu en place. Alors, des choses se déroulent devant mes yeux, dans la lumière des phares. Des choses étranges, s'entend. Car la nuit, sur les routes, tout peut arriver.

Viens me visiter au www.soniaklaflamme.com

Émotions garanties !

À Frédéric,
infatigable conducteur nocturne

Tucumcari (Nouveau-Mexique)

Dès que je descends de voiture, la canicule s'abat sur moi. Je cherche un instant à reprendre mon souffle. Je grimace, je plisse les yeux sous l'effet du soleil de plomb. Je n'ai jamais autant désiré que viennent la nuit et la fraîcheur qui d'habitude l'accompagne. Devant le poste d'essence, j'aperçois la mention *ice cold* peinte à la main sur un gros frigo rouillé. Glace froide... Quelle expression bizarre !

Pendant que mon père fait le plein d'essence, j'entre dans la station service. La climatisation est dans le tapis. À la caisse, l'employée discute avec un client, accoudé au comptoir et qui, avec une paille, s'amuse à remuer les morceaux de glace s'entrechoquant au fond de son *coke* hyper-méga-gros-format. Derrière lui, des cadeaux souvenirs de la Route 66, couverts d'une fine pellicule de poussière rouge, s'empilent.

Je me dirige vers le frigo de bouteilles d'eau, en choisis deux qui me paraissent les plus froides, puis je reviens à la caisse pour régler le plein d'essence et mes achats.

– *That's your car ?* me fait le client, soudain redressé et indiquant notre Mustang avec son énorme gobelet de styromousse non recyclable. *Damn ! I like those chariots !*

L'employée opine en silence et me redonne la monnaie. Le client reprend sa position décontractée, penché au-dessus de sa boisson gazeuse, et je m'en retourne dans la canicule.

– Allez ! me dit mon père en s'épongeant le front avec sa manche. On crève !

Je saute dans l'auto. On démarre et on reprend la Route 66, assis bien au frais. Je suis aux anges. C'est la plus ancienne route entièrement pavée des États-Unis. Elle serpente de Chicago (Illinois) jusqu'à Santa Monica (Californie), prenant son origine au bord du lac Michigan pour terminer sa course dans le majestueux océan Pacifique, fuyant les villes industrielles et grises pour offrir l'espoir des vallées gorgées de fruits. La Route 66, c'est la route par excellence du rêve américain. Et du déclin de l'empire.

À la radio – est-ce un hasard ? – une remasteurisation de *Get your Kicks on Route 66* joue. Mon père et moi sourions. Il monte le volume et, évidemment, on se met à chanter.

Santa Rosa (Nouveau-Mexique)

– C'est ici, m'avertit mon père.

Je replie la carte de la 66 à contrecœur. Mon père et moi planifions ce voyage depuis des années. Mais avant d'arriver en Californie, on fera une escale d'une semaine à El Paso, Texas, sur les bords du Rio Grande. C'est là que ma tante, la petite sœur de mon paternel, habite. Ensuite, on reviendra à Santa Rosa pour reprendre la 66 là où on l'a laissée, pour poursuivre notre route au cœur du *American dream*.

On rejoint l'Interstate 40 et son défilé monstrueux de pick-ups et de gros utilitaires pollueurs et, ma foi, inutiles, aux ailes encrassées de terre rouge. Ils roulent en fous, nous dépassent à vive allure, puis leurs silhouettes se mettent à osciller, au loin, sous le soleil implacable. Quelques minutes plus tard, on quitte la 40 pour emprunter la 84. On met le cap vers le sud. Comme on est en retard sur notre horaire, on devra s'arrêter à Roswell et louer une chambre pour la nuit.

– Tu veux aller au musée, demain matin, avant de repartir ? me demande mon père.

– Quel musée ?

– Ben…, dit-il avec un petit rire amusé, celui des extraterrestres, qu'est-ce que tu crois !

Roswell ! J'avais complètement oublié cette histoire-là. En 1947, un objet volant non identifié se serait écrasé dans le coin. Le problème, c'est que je ne crois pas vraiment à ce genre de niaiseries. Conspiration, incident véridique ou mise en scène ? Soixante ans plus tard, on se pose encore la question…

– Ça doit être une autre attrape-touristes.

– Ça, c'est sûr ! rit de nouveau mon père.

– En revenant, je préférerais plutôt qu'on s'arrête au Fort Sumner. C'est là qu'on a enterré Billy the Kid.

– C'est promis, me lance-t-il.

La Route 20, entre Fort Sumner et Roswell (Nouveau Mexique)

Le soleil disparaît à l'horizon, mettant un terme à cette journée caniculaire. Le ciel s'enflamme et se parsème de nuées diaphanes. Les entrées anonymes de ranches défilent de part et d'autre de l'étroit ruban de bitume. L'ombre des choses s'opacifie. Les lumières du tableau de bord s'intensifient. Seuls les chevrons peints en jaune, sur la chaussée, nous indiquent que nous roulons toujours sur la route.

Absence complète de trafic. La Route 20 donne elle aussi l'impression d'être abandonnée. Une route sans ville, sans attraction, sans vie. Au beau milieu de nulle part.

– J'aime bien cet instant, déclare mon père, brisant le silence qui règne depuis un moment dans la voiture. C'est comme un flottement... Que nous, que nos pensées et la route...

J'acquiesce. Tandis que le ronronnement du moteur nous berce dans la nuit, je savoure le flot des idées qui vont et viennent.

Une simple fraction de seconde. Mes yeux quittent la route une fraction de seconde lorsque quelque chose surgit devant nous. L'habitacle pique soudain du nez. Mon corps se raidit. Mon cœur bat un peu plus vite. Ma bouche s'ouvre sans projeter le moindre son. Du coin de l'œil, j'aperçois les mains crispées de mon père sur le volant.

Malgré l'application des freins, la voiture continue d'avancer. Sur notre gauche, un cerf franchit la route. Devant nous, un autre vient de s'engager. Sur le bas-côté, à droite, un troisième traîne derrière ses compagnons. Bon sang ! Trois ! Il ne faut pas en éviter un, mais trois...

Dans la vitre de côté, j'aperçois la mine médusée du troisième cerf, figé sur l'accotement. Quant au deuxième, il nous tourne maintenant le dos et se met à caracoler devant nous. Et la voiture continue toujours de foncer sur lui. Le derrière de fourrure blanche de l'animal sautille sous nos yeux ahuris. La bête déploie ses longues pattes effilées, puis tourne la tête dans notre direction, par-dessus son dos aux poils ras. Ses prunelles exorbitées brillent de surprise. Le cervidé bifurque à droite. Et clac !

La voiture stoppe enfin sa course. Dans la lumière des phares, plus rien. Je regarde mon père. Ses mains quittent le volant, restent en suspens dans les airs. Elles tremblent.

– Je ne croyais pas qu'on allait réussir à s'arrêter, murmuré-je.

– Moi non plus…

J'ouvre la portière. Je mets le pied sur l'asphalte et je jette un coup d'œil aux alentours. Les cerfs ont disparu. Le vent souffle sur mon visage une brise encore chaude. Je fais quelques pas vers le pare-chocs. Un coup de sabot l'a salement amoché.

Au-dessus du volant, le visage de mon père demeure fixe et perplexe. À mon tour, je prends conscience du danger que nous venons d'éviter. On aurait pu y rester. Je plisse les yeux pour mieux percer l'obscurité qui nous enveloppe. Que nous et la route, hein ?

Mon père sort de la voiture. En moins de deux, il disparaît dans la nuit. Ses pas décroissent, foulent les gravillons de l'accotement, froissent l'herbe du ravin, puis il vomit toute sa peur et ses angoisses. Il toussote, se racle la gorge pendant un moment, avant de dégurgiter de plus belle. À moins que ce ne soit à cause de la bouffe non cachère du *In-N-Out Burger*. Ce *fast food* porte bien son nom.

Je souris malgré moi.

– Tu parles d'une rencontre du troisième type ! soufflé-je avec ironie.

Un peu plus et on disait adieu à notre voyage et au Pacifique ! Je fais un petit tour sur moi-même. Dans l'obscurité, j'aperçois des points vitreux qui brillent furtivement. Je plisse les yeux, j'avance d'un pas. De l'autre côté de la chaussée, les trois cerfs m'observent. Ils restent là, immobiles, à me dévisager de façon plutôt curieuse, pour ne pas dire inattendue. Je fais un pas dans leur direction. Ils ne fuient pas.

– P'pa ! Viens voir ça. Nos trois amis…

Le silence inhabituel de la nuit me surprend alors.

– P'pa ?

Je me tourne vers la voiture, la contourne, m'aventure à mon tour sur l'accotement.

– P'pa !

Aucune réponse. Le silence m'énerve au plus haut point.

– J'ai pas envie de jouer, là ! dis-je avec une pointe de colère. C'est pas le temps !

Rien. J'avale ma salive de travers. Il a dû tomber et perdre connaissance !

Je retourne à la Mustang. Je me penche au-dessus du siège, ouvre le coffre à gants, récupère la lampe de poche, puis reviens sur mes pas. J'active l'interrupteur. Pas de lumière. Je secoue l'objet. Aucun bruit. Il n'y a pas de piles.

– Maudite marde !

J'arpente l'accotement et le ravin. Je crie le nom de mon père. J'ai l'impression d'étouffer. La panique monte d'un cran. Je retourne à l'auto, m'installe du côté conducteur, embraie en marche arrière et, faisant ensuite marche avant, j'effectue un demi-cercle pour balayer le fossé avec les phares. Je répète la manœuvre dans le sens inverse. Toujours rien.

Mes mains donnent un violent coup sur le volant. Des crampes triturent mon estomac. Des larmes affluent. J'essaie de garder mon calme. Mon esprit se met à compiler les avenues qui se présentent à moi. J'ai perdu mon père de vue. Il est là, quelque part, mais je ne le vois pas, et il ne m'entend pas. Je n'ai pas de piles, pas de téléphone cellulaire... La radio ? À quoi pourrait-elle me servir ? Malgré tout, j'appuie sur le bouton d'alimentation, puis tente de syntoniser une chaîne locale. Sans succès. Les ondes sont brouillées. Je n'ai que la route...

Au loin, des lumières percent l'obscurité. Elles se déplacent à vitesse constante dans ma direction. Pas de doute, c'est bel et bien un véhicule qui s'amène. Je reprends courage. Je dois cependant déplacer la Mustang, toujours en travers de la route. J'essaie d'embrayer en première, mais le moteur cale. Je tourne nerveusement la tête. Les phares grossissent de plus en plus. Blancs et jaunes. Probablement ceux d'une remorque. Pas de temps à perdre, sinon je vais me faire emboutir comme un accordéon. Je tente une fois de plus de faire démarrer la voiture. En vain.

Le camion est là, sur ma gauche. Il fonce sur moi. Une sirène stridente m'intime de foutre le camp. À la manière des trois cerfs, je suis fasciné par les faisceaux qui plongent vers moi. Je ferme les yeux. Je retiens mon souffle. Les freins crissent, suivis de bruits de portière et de pas précipités.

– *What's wrong, buddy ? Need some help ?*

Dans un anglais plus qu'approximatif, je lui dis que je n'arrive plus à faire démarrer la voiture.

Il me répond qu'il n'a pas de câbles pour me dépanner. Je fronce les sourcils. J'ai un peu de mal à le croire. Lui, il esquisse un petit sourire en passant sa langue sur ses lèvres.

– *I'm going to Roswell. I'll drop you there, if you want to.*

J'accepte volontiers. Je mets la voiture sur le neutre ; on la pousse sur l'accotement. J'ouvre ensuite la porte du camion pour monter à bord. Je grimpe sur le marchepied et me hisse jusqu'à l'habitacle. Je m'assois et jette un coup d'œil derrière le siège, dans l'alcôve qui lui sert de chambre à coucher. Sur le lit, une revue traîne, ouverte. Mes muscles se crispent aussitôt. La photographie d'un jeune gars de mon âge, nu, dans une position humiliante, me tétanise. Je lève aussitôt le regard. Des lanières de cuir pendent au bout d'un crochet. Sur une petite tablette, un miroir, un sachet de poudre blanche. Une musique tonitruante résonne alors à mes oreilles. Je me retourne vivement. À côté de moi, trop près de moi, le camionneur me toise, un sourire moqueur accroché aux lèvres.

– *Let's go, pussy !*

Sex, drug and rock and roll. Je me sens coincé, pris au piège. Du coup, je comprends le sens de ses regards étranges. Sans même réfléchir, je saute par la portière restée ouverte. Devant sa surprise, je lui explique, du mieux que je peux, que je dois rester là, près de mon père. Juste au cas où il reviendrait. Et que lui, le routier, il doit appeler la police, l'ambulance, les autorités, quelqu'un. J'ai besoin d'aide, mais je ne peux pas quitter les lieux.

Il ne semble pas croire à mon histoire de père disparu dans la nature. Visiblement déçu, il me dit qu'il est en retard, qu'il ne peut pas attendre plus longtemps en ma compagnie – ce qui ne me dérange pas du tout ! – et qu'il appellera les flics sur sa radio. Ça ne devrait pas être long avant qu'ils se pointent.

– *That's great ! Thank you, sir !*

Il me lance un dernier regard, me dévisage de la tête aux pieds, soupire puis le camion reprend la route. La plaque d'immatriculation est illisible. Couverte elle aussi de terre rouge. Les phares rouges disparaissent dans la nuit au bout de quelques secondes.

De nouveau seul, je porte mon regard à la ronde. Rien. Le silence. L'obscurité. Ça fait quinze minutes que l'homme aux loisirs suspects est parti. Va-t-il vraiment appeler la police ? J'en doute.

Un bruit de gravillons entrechoqués attire mon attention. Au-delà de la voiture, les trois cerfs me fixent à nouveau de leur air tranquille.

– Qu'est-ce que vous me voulez ? crié-je, hors de moi.

Je fais un pas menaçant vers eux.

– Tout ça, c'est de votre faute !

Je saisis une poignée de cailloux que je balance dans leur direction. Je me trouve à peine à trois mètres d'eux ; pourtant, aucun projectile n'atteint sa cible. Les cerfs se contentent de suivre des yeux les cailloux qui bifurquent de part et d'autre, puis me toisent à nouveau. Avec intensité. Un frisson me parcourt l'échine. On dirait que… qu'ils… Bon sang ! Ils ne peuvent quand même pas essayer de me parler !

À bout de nerfs, je me détourne, décidé à trouver du renfort d'une manière quelconque.

Ça doit faire deux bonnes heures que je marche à l'aveuglette, avec pour seul repère le bruit de mes chaussures sur le bitume, lorsque j'aperçois une masse sombre se détacher dans la nuit. Probablement une citerne. J'accélère le rythme, car qui dit eau, dit village. Pourtant, aucune lumière ne scintille. Pas même celle d'un panneau publicitaire. Il n'y a pas de village. Il n'y a que cette boule blanche, suspendue au-dessus de ma tête. Je la contourne. Ironie du sort, un immense bonhomme sourire, peint en jaune, semble se moquer de moi. Je ne peux m'empêcher d'émettre une série de jurons.

Le désarroi s'incruste davantage en moi. N'y a-t-il aucune âme qui vive dans ce foutu désert pourri ? On m'offrirait un million de billets verts sur un plateau que je ne viendrais pas m'installer dans un trou pareil.

Je tente de revenir vers la route. Bon sang ! Mais où est-elle ? Je tourne en rond, je scrute la nuit. Je ne vois rien d'autre que le néant, que l'immensité qui m'entoure, que le grand trou noir impalpable qui m'engouffre un peu plus chaque seconde. Qu'est-ce qui a bien pu me prendre de quitter la route ? De m'éloigner de mon père et de la voiture ? Qui sait ce qui se cache à quelques pas de moi... J'ai terriblement chaud. Plus que durant l'après-midi, sous le soleil de plomb. J'essuie mon front en sueur. La panique culmine. Je me parle tout seul. Je capote. Je suis dans la merde jusqu'au cou !

Je n'ai jamais prié de ma vie. Pourquoi l'aurais-je fait puisque les grandes surfaces de ce monde se fendent en quatre pour me vendre l'utile et l'inutile à prix réduit ? Et pourtant là, au beau milieu de ce *no man's land* effrayant, je me surprends à supplier les étoiles mouchetant la voûte céleste. Ce qui me terrifie le plus, c'est que j'ai l'impression d'avoir fait ça toute ma vie.

Presque au même moment, des phares émergent sur ma droite, traçant une ligne imaginaire au loin. Sans doute les policiers. Je me mets à courir. Oui, ce sont eux. Il faut que ça soit eux ! Ma fatigue, mes peurs, tout s'envole. Mes pieds effleurent à peine le sol, me transportent vers le seul espoir qui me reste. Je n'ai pas parcouru cent mètres que je trébuche sur un cactus. Je m'affale en lâchant un cri. J'ai l'impression qu'un millier d'épines transpercent mes cuisses. J'essaie tant bien que mal de les enlever quand soudain, des globes vitreux brillent devant moi. Des silhouettes floues dansent à côté de moi. Qu'est-ce que ça peut bien être ? Je tends une main tremblante. Mes doigts rencontrent quelque chose de… poilu. Un pelage court, un peu rude au toucher. Je fronce les sourcils. Ça ne peut tout de même pas être les cerfs !

– Allez-vous-en ! ne puis-je m'empêcher de hurler. Sacrez-moi patience ! Comportez-vous comme de vrais animaux !

Et fuyez, fuyez l'homme… Ils n'en font rien. Ils restent là, à dévisager mon incompréhension, à palper mes angoisses. Le trio me renifle en agitant légèrement le museau. Ils sont beaux. Mais ce n'est pas le temps de jouer au naturaliste. Ni le lieu. Je me relève d'un bond.

Une forte bourrasque me fait vaciller. Des salves lumineuses déchirent l'obscurité et s'écrasent sur le sol désertique. Plutôt que de prendre leurs pattes à leur cou, les trois cerfs tendent leur museau vers le ciel. Ils forment un triangle autour de moi et émettent des bramements. Une lumière intense, éblouissante, me crève alors les yeux. Elle se dirige vers nous pour nous engloutir. Je lève le bras, je recule d'un pas. Je tombe à la renverse au moment où elle bifurque à la dernière seconde. Un bruit fracassant explose dans mes oreilles. La terre tremble sous mon corps pendant de longues secondes.

Ma tête fait mal. Un goût horrible emplit ma bouche. J'ouvre les yeux. Des silhouettes indéfinies, blanches, aux yeux globuleux, se penchent sur moi. Leurs voix distordues soufflent des mots incompréhensibles. Des mains invisibles me transportent je ne sais où.

– Qui êtes-vous ? Où m'emmenez-vous ?

Je ne reconnais pas ma propre voix. Je ne suis pas certain que ces mots aient véritablement franchi mes lèvres. Mais je les ai bel et bien pensés. Je me sens engourdi. Ma volonté s'épaissit. Je me sens toujours ballotté vers l'inconnu. Des mains me parcourent. Elles me touchent le front. Je n'ai pas la force de les repousser.

Et puis le *black-out*. Total et complet. Comme une nuit sans lune en plein désert.

El Paso (Nouveau Mexique)

Ça fait une semaine qu'on est chez ma tante. Mon crâne me fait toujours souffrir. De l'autre côté de la porte, j'entends les voix réconfortantes de mon père et de sa petite sœur. Je devrais sourire, me sentir soulagé. Pourtant, une sensation bizarre, pas nette du tout, m'enveloppe. Comme chaque matin à mon réveil.

Sur la table de chevet, une coupure de journal toute chiffonnée semble me narguer. Je connais par cœur l'article du *Roswell Daily Record* : *Une pluie de météorites a fait dérailler un train de marchandises en pleine nuit... Un jeune touriste canadien de seize ans errant en bordure de la voie ferrée a été miraculeusement épargné...*

Je grimace. Des souvenirs vagues, en pièces détachées, me prennent d'assaut, me terrorisent, me racontent une tout autre histoire. Et puis il y a cette petite marque, au milieu de mon front, comme une brèche, comme une ouverture directe sur mon cerveau, sur mon âme. Une empreinte, une preuve de leur présence, de notre rencontre sur la Route 20.

Ils savent désormais comment me retrouver. La passerelle a été érigée.

Sang-froid sur le métier

par

Yanik Comeau

Je n'ai pas souvent exploré l'épouvante, mais j'aime me promener d'un style à l'autre et découvrir de nouveaux univers. Ma nouvelle « Chalet de glace », publiée dans le recueil Bye-bye, les parents ! *m'a fait pénétrer dans l'univers du suspense. J'ai beaucoup aimé ça. Cette fois, inspiré par ma propre peur du noir, de la mort et de la cruauté humaine, je me suis amusé à me faire peur à moi-même. J'ai pris plaisir à explorer le côté obscur du cœur humain. Si tu veux me dire ce que tu as pensé de ma nouvelle, n'hésite pas à m'écrire par l'entremise de mon site Internet, www.comunikmedia.com. Tu pourras aussi en apprendre davantage sur moi. Bonne lecture !*

À mon ami Ianik Lajeunesse,
pour souligner nos vingt ans d'amitié
et de complicité indéfectibles

JE N'ARRIVE PAS à dormir. Ça fait des heures que je tourne de tout bord, tout côté dans ce lit minuscule et inconfortable. J'ai beau essayer de faire le vide dans ma tête, de ne penser à rien, je ne suis pas dans mon habitat naturel et ces bruits de la campagne ne me font pas.

Les cris des ouaouarons, les sons étranges que font les oiseaux de nuit, les ailes des chauves-souris qui battent l'air autour de ma fenêtre... Tous des bruits qui me glacent le sang à intervalles irréguliers. Comment peut-on arriver à dormir avec une telle cacophonie ?

Je déteste cette maison ! J'en veux tellement à mon père de l'avoir achetée. Lui et ses grands projets ! Construire des *penthouses* et des condos sur le site d'une vieille érablière pour des petits riches fendants qui veulent faire du ski de chalet nouveau genre, quelle idée ! C'est vrai que l'argent n'a pas d'odeur, mais... pourquoi sommes-nous absolument obligés de venir habiter directement sur le site pendant les travaux ? Et pourquoi ne détruirait-il pas carrément cette cabane en ruine au lieu de s'obstiner à la rénover ? Vraiment, je ne comprendrai jamais par quel bout prendre le cerveau de mon père !

Ici, il fait une chaleur étouffante. Je sais que la canicule fait rage sur tout le Québec depuis plusieurs jours et que vous me direz que j'aurais encore plus chaud dans le triplex de ma mère sur le boulevard Saint-Joseph à Montréal, mais... moi, c'est la ville qui m'allume. J'aime marcher dans les rues de la métropole, le matin, le midi, le soir, été comme hiver. La ville, ça bouge, c'est vivant, il y a des choses à faire. Des filles à voir sur les trottoirs...

Tout de la campagne me fout la trouille.

Je suis étendu sur le dos et je fixe le plafond de cette petite pièce de trois mètres sur deux et demi que mon père m'a désignée comme chambre. J'ai l'impression d'être dans une cellule de prison. Sauf que dans une cellule de prison, je ne verrais pas toutes sortes d'ombres troublantes sur mon plafond parce que je n'aurais pas de fenêtre.

Les murs de ma chambre sont sales et par de nombreux trous la mousse isolante rose fait des coucous. Le plancher est en contreplaqué inégal et couvert d'éclisses de bois qui menacent de me rentrer dans les pieds si je m'aventure sans chaussures. Ma porte de chambre devrait être posée avant la fin de l'été, m'a promis mon oncle Serge, qui doit aussi faire les rénovations promises par mon père. Mais je n'ai pas vu mon oncle une seule fois depuis que nous avons emménagé. Et sans porte, je ne sais jamais ce qui peut entrer dans ma chambre, la nuit, sans m'avertir...

Parfois, pour avoir un peu d'intimité, je me réfugie dans la salle de bains. Mais... même là, je ne suis pas à l'abri des curieux parce que la porte n'a pas de poignée. Le grand trou rond où elle devrait être laisse passer la lumière et les regards. Et que dire de cette photo bizarre que mon père veut garder accrochée au-dessus de la toilette parce qu'il la trouve drôle ? On y voit M. Laurent Allorent, le premier propriétaire de cette érablière, photographié par son fils Jean avec son bouvier bernois malade. Le vieux bonhomme, maigrelet, aux cheveux blancs hirsutes, nous regarde avec des yeux à la fois sinistres, réprobateurs et vicieux. Vous savez ce que l'on dit des yeux de *La Joconde*? Qu'ils nous suivent, peu importe où nous sommes dans la pièce. Même chose pour M. Allorent. Sauf que lui, ses yeux nous glacent au lieu de nous réchauffer. Heureusement que le rideau de douche est opaque...

Ces pensées ne font rien pour m'aider à dormir. Je tourne la tête vers mon réveille-matin. Par la position des aiguilles lumineuses bleues, je devine qu'il est deux heures moins dix. Deux heures moins dix et je ne dors toujours pas. Mes draps sont mouillés par la sueur qui a traversé mon t-shirt et mon slip. Si j'avais une porte, je dormirais bien nu, mais...

J'ai essayé de changer de position, mais je n'en trouve aucune qui soit confortable. Je ferme les yeux et j'inspire profondément. Si j'arrive à me vider la tête, peut-être que je m'endormirai.

– N'écoute pas les sons autour de toi, Philippe…

Soudain, alors que je pense enfin glisser dans les bras de Morphée, j'entends un bruit de métal ressemblant à une poubelle qui tombe. Cela a sur moi l'effet d'une cymbale frappée à grands coups par un batteur agressif. Le bruit est si surprenant que j'ai l'impression que mon âme est sortie de mon corps. Je me retrouve assis carré dans le lit, les yeux grands ouverts. Le silence. Des pas piétinent les branches mortes et les feuillages répandus sous ma fenêtre. Quelqu'un est dehors ? Mon cerveau me joue des tours, c'est certain ! Qui se promènerait dehors dans la noirceur totale autour d'une cabane comme celle-ci au milieu de nulle part ? En tout cas, pas quelqu'un qui a aussi peur de la noirceur que moi. Avec les lourds nuages gonflés d'humidité qui vont sans doute bientôt s'abattre sur nous en un orage violent, on ne voit pas nos pieds au bout de nos jambes. Il faudrait être fou pour marcher dans la forêt d'érables à sucre derrière la maison à une heure pareille.

C'est sans doute un raton laveur qui tente de se trouver une collation nocturne dans une des poubelles. Ou une mouffette. Ou un ours.

Ce que je déteste la campagne ! Ce que j'en veux à mon père de m'avoir amené jusqu'ici !

– Papa ?

J'ai à peine chuchoté le mot. Ma voix est étranglée par la peur qui monte en moi. Même si cette maison de campagne est minuscule et que j'ai l'impression que ses murs sont en carton, je me demande s'il aurait pu m'entendre. Il doit dormir, lui.

Ma tête tourne à cause de la fatigue, mais mon cœur bat à cent à l'heure. Je veux dormir mais ces nouveaux bruits inconnus me troublent. Je ne sais plus quoi penser, quoi faire.

Malgré la peur, je décide de chercher mes pantoufles à l'aveuglette sous mon lit. Je réussis à les trouver, mais pas avant de m'être piqué les doigts avec quelques éclisses de bois. J'enfile mes pantoufles sur mes pieds qui ont déjà trop chaud (maudit plancher miné !) et je me lève, marchant à tâtons en regrettant de ne pas avoir mémorisé la disposition du mobilier avant de me coucher.

J'arrive tant bien que mal à rejoindre la fenêtre de ma chambre, celle qui donne directement sur l'érablière. Je regarde dehors. Que des ombres d'érables soufflées par un vent chaud qui fait frémir les feuilles. Le silence. Je n'entends même plus les ouaouarons.

J'ai dû faire un rêve éveillé. Ou la bête qui fouillait dans la poubelle est repartie ou… J'entends quelque chose. Un coup. Deux coups. Trois coups. Métal sur métal. Puis, le silence encore. Un autre coup. Et un dernier. Qu'est-ce que ça peut bien être ? On dirait... un marteau sur une enclume. Un marteau sur...

– Papa ?

Pas de réponse.

Encore des pas sur les branches mortes et les feuillages. Qu'est-ce que mon père pourrait bien faire dehors au milieu de la nuit ? À moins que ce ne soit pas lui... mais qui ?

J'écoute le silence. Je suis figé près de ma fenêtre, comme si j'attendais... comme si j'attendais quoi ?

Soudain, un petit bruit. Comme... une goutte. Deux gouttes. Trois gouttes. Des gouttes qui tombent à intervalles réguliers sur une surface métallique. C'est un son répétitif qui me laisse pantois. D'où vient-il ? Serait-ce le robinet de la salle de bains ? Ce ne serait pas surprenant, étant donné l'état de cette cabane. Une chose de plus à réparer, sans doute.

Je me rends aux toilettes où je trouve assez facilement l'interrupteur. La lumière inonde la petite pièce et m'aveugle complètement. Les yeux plissés, je passe mes doigts sous le robinet. Ce n'est pas lui, le coupable. Même qu'en écoutant un instant, je me rends compte que je me suis éloigné de la goutte qui coule, en entrant ici. Malgré tout, j'en profite pour vérifier aussi le robinet de la baignoire. Même chose. Il ne coule pas. Ça m'aurait surpris puisque...

J'éteins rapidement la lumière pour éviter le regard de M. Allorent et je me dirige vers l'évier de la cuisine. Le bruit des gouttes qui tombent est régulier et je semble m'en approcher, mais... après avoir attrapé un petit choc électrique en trouvant l'interrupteur dévissé qui flotte dans le vide à l'entrée de la cuisine, je m'aperçois que ce robinet ne coule pas plus que ceux de la salle de bains.

Le bruit des gouttes qui frappent une surface métallique a cédé la place au bruit des gouttes qui tombent dans un liquide qui s'accumule. Il y a un récipient qui se remplit quelque part. Mais où ?

Je sors de la cuisine sans éteindre la lumière. Si mon père trouve qu'il fait trop clair dans la maison ou que l'on gaspille l'électricité, il viendra s'électrocuter lui-même. Je longe le mur du couloir en profitant de la lumière derrière moi. Mon ombre me joue des tours. J'ai l'impression d'être suivi alors que je sais très bien que je suis seul. Oui. Je suis seul. Personne devant moi, personne à gauche, personne à droite. Personne ne pourrait se trouver derrière moi puisque je marche adossé au mur. Dans toute la maison, il n'y a que moi et mon père. Et la photo de M. Allorent...

– Papa ?

Le silence. Seulement ces gouttes qui tombent dans un liquide. Ces gouttes qui tombent sans arrêt. Ces gouttes qui vont me rendre fou. Ces gouttes qui font encore plus de bruit que les ouaouarons, les chouettes, les chauves-souris, les animaux qui rôdent autour de la maison. D'où peuvent-elles provenir ? Qu'est-ce qui pourrait bien faire un tel bruit si ce n'est pas un robinet ?

Je me suis assez éloigné de la cuisine pour me retrouver à nouveau dans l'obscurité presque totale. Il me semble que mon père avait une lampe de poche, hier. L'a-t-il laissée près de la porte d'entrée ? Non. Il l'a probablement apportée dans sa chambre, l'égoïste !

Le vent commence à se lever sérieusement. Les rideaux de la cabane dansent et le vent siffle. Si au moins il était frais !

Je marche vers la chambre de mon père en frôlant le mur. J'atteins le cadre de sa porte. À tâtons, je découvre qu'elle est fermée. Il en a une, lui. Il peut la fermer quand sa Valérie vient coucher. Je tourne la poignée le plus silencieusement possible pour éviter de le réveiller. Si sa nouvelle flamme était ici, je n'entrerais pas comme ça, mais… elle est en Abitibi cette semaine. C'est quoi le pire qui pourrait m'arriver ?

La porte grince, il ne faut pas s'en étonner. Si mon père ne voulait pas se faire réveiller par une porte pleurnicheuse, il n'avait qu'à ne pas acheter cette vieille bicoque… ou, au minimum, à huiler les pentures !

Je me promène dans la chambre du paternel en tentant d'éviter de faire craquer le plancher, mais en vain. Comme un aveugle, je fais l'inventaire des dessus de bureaux et des tables de chevet sans trouver de lampe de poche. Où a-t-il pu la laisser ? Enfin… il faut que je sorte d'ici sans déranger. Étonnant quand même qu'il ne se soit pas réveillé avec tout le bruit que je tentais de ne pas faire. Mais bon… aïe ! Je me frappe le pied contre un des haltères de mon père qui traîne au milieu du plancher, je trébuche et tombe de tout mon long sur le lit. La douleur insoutenable qui fait son chemin rapidement des nerfs de mon troisième orteil droit jusqu'à mon cerveau me dit que ce doigt de pied sera sans doute très enflé et coloré dans les prochains jours.

En me relevant, je me rends compte que je suis seul dans le lit. Où est passé mon père ? Dans sa chambre, que du vent. Puis, un éclair illumine la chambre une fraction de seconde. Nous n'échapperons pas à l'orage, c'est certain. Grâce à cette lumière furtive, j'ai quand même pu confirmer que je suis seul. Inutile de dire que je n'ai pas vu de lampe de poche non plus !

Bon… il faut que je sorte d'ici. Un coup de tonnerre effroyable fait vibrer les murs de la maison. C'était à prévoir après l'éclair, mais je n'y pensais plus. Je sursaute et je fige. Mon cœur saute quelques battements. Maudits orages ! À chaque coup de tonnerre, j'ai l'impression d'effacer deux ans sur ma vie.

En me dirigeant vers un mur pour me guider vers la sortie, mon pied roule sur un objet cylindrique et je passe à un cheveu de tomber étendu sur le plancher. La lampe de poche, propulsée par la plante de mon pied, heurte le mur. Toujours à tâtons, je rejoins le mur avec mes doigts et je suis sa ligne jusqu'au plancher pour trouver la lampe de poche. Je l'allume. Avec ce faisceau lumineux, je peux me déplacer beaucoup plus rapidement. Je sors de la chambre avec une nouvelle assurance.

Le vent souffle tellement fort maintenant que je n'entends plus les gouttes. C'est au moins ça de gagné, comme on dit. Peut-être qu'en retournant dans mon lit, j'arriverai à trouver le sommeil.

En sortant de la chambre de mon père, je m'aperçois que la porte arrière de la maison est grande ouverte. Le vent souffle fort et la fait cogner sur le mur déjà pas très solide.

– Allô… ?

Personne ne me répond. Je n'aime pas ça. Des papillons se mettent à virevolter dans mon estomac qui est de moins en moins solide. Je dirige le faisceau de la lampe de poche vers l'extérieur et la nature me répond dans un éclair qui illumine toute la maison. Est-ce que j'ai… non. C'est impossible. Mes yeux me jouent des tours. Pendant une seconde, j'aurais juré avoir vu une ombre humaine passer dans le cadre de la porte. Mon père ?

Je ne peux pas laisser la porte ouverte. Il faut que j'aille la fermer. Je marche craintivement vers la sortie, lorsqu'un terrible coup de tonnerre me fait échapper la lampe de poche de nouveau ; à l'impact, elle s'éteint. Ma seule source de lumière dans cette partie de la maison. Si seulement j'étais près de la cuisine…

Bon… d'une seconde à l'autre, il se mettra à pleuvoir violemment. Il faut que je ferme la porte. Le plus vite j'y arriverai, le plus vite je me sentirai en sécurité et le plus vite je pourrai retourner dans mon lit. Ce lit que je déteste dans cette maison que je déteste achetée par mon père que je…

– Papa ?

Il ne me répond toujours pas. Où peut-il être passé ?

Au moment où j'arrive près de la porte pour la fermer, j'entends un cri de douleur et d'effroi qui parvient de l'extérieur et qui fait écho sur les arbres et la maison. Mon sang se glace. C'est une voix humaine. Une voix masculine. La voix de…

– Vous êtes réveillé, monsieur Blanchard ?

Monsieur Blanchard ? Mon père ? Qui parle à mon père tout près de la porte arrière de cette cabane ? C'est une voix qui craque, une voix vieille, une voix abîmée par la vie.

Un autre cri guttural de mon père qui s'éteint abruptement.

– Vous êtes réveillé.

Encore la voix d'outre-tombe.

La pluie a commencé. J'entends les gouttes sur le toit au-dessus de ma tête, sur le bois du patio tout près de mes pieds. Ce ne sont pas les mêmes gouttes que celles que j'entendais tout à l'heure.

Qu'arrive-t-il à mon père ? Où est-il ? Aussi près qu'il en a l'air par la proximité de sa voix ou est-ce une illusion à cause de l'écho ? Je n'ai qu'une idée en tête : aller fermer la porte. Je m'en approche lentement, lentement, tentant à tout prix de ne pas faire craquer le plancher. La pluie est de plus en plus bruyante. Elle m'aide à camoufler le bruit de mes pas. J'arrive à la porte.

– Je suis content, reprend la voix étrange. Vous avez bien dormi ?

J'entends maintenant une respiration haletante. Celle de mon père ?

– Qui, qui, qui... ?

– Qui je suis ?

Je commence à refermer la porte qui grince sans gêne.

– Ah ! lance la voix mystérieuse. Philippe ? Peut-être que votre fils pourra vous aider. Il est vrai que dans cette position, il est très difficile d'identifier un visage. Philippe ? Vous ne dormez pas, jeune homme ?

Je retiens mon souffle. Je n'ai jamais eu si peur de ma vie.

– Ne soyez pas timide. Venez nous rejoindre. Ce ne sont pas quelques gouttes de pluie qui vous font peur... ?

Angoissé, la gorge nouée, j'avance sur le seuil de la porte. Je passe d'abord lentement la tête. J'aperçois la silhouette d'un vieillard qui me tourne le dos. De cette forme humaine semble émaner une lumière diffuse et mystérieuse. Je ferme les yeux pour secouer cette image impossible de ma tête. Rien à faire.

L'homme est bien là. Il se tourne rapidement vers moi, virevoltant presque comme un danseur agile. Il me tend une main squelettique.

– Venez, jeune homme. Votre père et moi faisons un jeu de devinettes. Qui suis-je, selon vous ? Il n'y a pas de prix à gagner, mais...

Le vieillard éclate de rire comme s'il avait un souffle sans fin. Il fait quelques pas à reculons dévoilant ainsi le corps de mon père suspendu par les pieds à un des plus gros arbres de la forêt. Un chalumeau servant à entailler les érables a été planté au milieu de son front. À la jonction de sa gorge et de son cou, une chaudière a été suspendue pour recueillir son sang. Ses yeux et sa bouche sont figés dans un air d'effroi qui ferait frémir un médecin légiste.

– Vous... vous avez tué mon père ? que je réussis à balbutier, la voix éteinte.

– Mais non, me répond le vieillard. Je l'ai seulement saigné à blanc avant qu'il fasse une coupe à blanc dans ma forêt d'érables pour construire ses condos. J'ai donné quarante ans de ma vie pour ces érables. Votre père n'a aucun respect pour le travail artisanal.

J'ai le souffle coupé. Mon père est...

– Tu me reconnais, maintenant ? me demande le vieil homme.

Mon père est mort. Mort suspendu à un arbre. Mon père...

– Mais vous êtes MORT ! réussis-je à crier de toutes mes forces comme si j'allais pouvoir faire disparaître ce spectre en hurlant.

Le vieillard éclate encore de ce même rire puissant comme s'il voulait me répondre sur le même ton.

– Mon fils n'aurait jamais dû vendre ma terre à votre père, garçon ! Je le savais. Je savais qu'elle devait rester dans la famille. Je savais que si Jean vendait à un étranger plutôt que de poursuivre mon œuvre pour les générations futures, pour son fils à lui et les autres qui suivraient, ce ne serait plus jamais pareil. Dommage.

Le revenant se tourne encore vers le cadavre suspendu de mon père. La pluie et le vent font balancer le corps qui demeure figé comme un glaçon malgré la chaleur humide et écrasante.

– Vous souhaitiez prendre la relève de *votre* entreprise familiale, jeune homme ? me demande le spectre en trempant une grosse cuillère de bois dans la chaudière débordante du sang de mon père.

Horrifié, haletant, mes yeux s'emplissant de larmes, je crie de toutes mes forces :

– NON !

Comme s'il n'écoutait pas ma réponse, le vieillard porte la cuillère dégoulinante à sa bouche et goutte le sang avant de dire :

– Hum... C'est beaucoup moins agréable au goût que l'eau d'érable.

Je suis figé. Incapable de bouger.

– Tu veux goûter ?

Soudainement, je suis pris d'un terrible haut-le-cœur. Je m'élance vers la salle de bains, courant dans le couloir en m'aidant de mes mains sur les murs pour me propulser plus rapidement. J'arrive à la toilette juste à temps pour vomir et cracher les images épouvantables que je viens d'avaler.

En relevant la tête, je tombe sur mes genoux. Tournant les yeux vers la photo de monsieur Allorent et son bouvier bernois miteux, je découvre le chien seul dans la photo.

Table